Y0-BDH-230

rororo

«Alissa Walsers neue Geschichten handeln von scheinbar gewöhnlichen Menschen in gewöhnlichen Situationen: Eine Frau sitzt im Restaurant und gewinnt plötzlich ungeahnte Einsichten in ihre Mitmenschen, oder eine Tochter sinniert über ihre Mutter, mit der sie sich den Liebhaber teilte.
Es sind unauffällige Ereignisse, durch die plötzlich Irritation, Einsamkeit, Verlassenheit Einzug in wohlgeordnete Leben halten.» (Die Woche)

«Jede Story ist eigentlich ein ganzer Roman.» (Die Weltwoche)

«Die Rache der Frauen ist fürchterlich in Alissa Walsers Erzählungen, und ihre Überlegenheit auch.» (Frankfurter Allgemeine Zeitung)

«Alissa Walsers Texte hinterlassen Spuren auf der Seele des Lesers.» (Berliner Morgenpost)

Alissa Walser, geboren 1961,
studierte Malerei in New York und Wien. Ihre Geschichte «Geschenkt» wurde 1992 mit dem Ingeborg-Bachmann-Preis ausgezeichnet und stand auf der renommierten Bestenliste des Südwestdeutschen Rundfunks. Ein Band mit Erzählungen, «Dies ist nicht meine ganze Geschichte», liegt bereits als rororo 13747 vor: «Sehr lesenswert» (Die Woche).
Alissa Walser lebt in Frankfurt am Main.

ALISSA WALSER

DIE KLEINERE HÄLFTE DER WELT

Erzählungen

Rowohlt Taschenbuch Verlag

Veröffentlicht im Rowohlt Taschenbuch Verlag
GmbH, Reinbek bei Hamburg, Juli 2001

Umschlaggestaltung Cathrin Günther / Alissa Walser
Gesamtherstellung Clausen & Bosse, Leck
Printed in Germany
ISBN 3 499 23014 3

DIE KLEINERE HÄLFTE DER WELT

DIE KLEINERE HÄLFTE DER WELT

Also, Mutter, oder wie soll ich sagen, Heike, Mutti, oder Erzeugerin. Erschrick nicht, wenn du hier reinkommst. Wenn du siehst, wie die Tochter, die's mal besser haben sollte, wohnt. Ist ja nur vorübergehend. Alles nur vorübergehend. Nächste Woche hab ich wieder einen Platz, du wirst sehen, dann kannst du wieder stolz sein. Eine Wohnung verliert man, eine Wohnung findet man wieder. Eine Wohnung ist ja nicht die Unschuld. Wart's ab: zwei Zimmer, Blick, Balkon, ich auf dem Sofa, und du neben mir. Ich hör dich schon, Unschuld, da hakst du ein … War das auch so hart, wirst du mich fragen, und es schwingt eine kleine Kränkung mit, weil ich dir's nie erzählt hab. Und was sag ich? Ich bin sie gern losgeworden. Ich konnte es kaum erwarten. Endlich weg mit dieser Schwachstelle, die mich von Frauen unterschied, diese Stelle, die mich zum Tier vor der Schlachtbank machte.

Ein Gemetzel unterm Rock schien unvermeidbar. Gleichzeitig war es völlig undenkbar, aber deshalb jederzeit möglich. Allerdings, Mama, muß ich dir sagen, daß es, als du dich an diesem Augustabend 1984 mit dem Küchenmesser in der Hand zu mir auf den Rasen gesetzt hast, den der amerikanische Nachbar gemäht hatte, und auf meine nach hinten gestrecken Arme geblickt hast, und ich sah, wie du auf meine Achselhöhlen starrtest, und deshalb schnell die Arme auf die Brust zog, du die paar Haare aber schon bemerkt hattest, und dann gesagt hast, ein Spitzbärtchen, und als du dann aufgestanden und zu den Beeten hinübergegangen bist, einen Salatkopf abgeschnitten und ins Haus getragen hast, während ich draußen blieb, weil ich mal wieder fastete, und als du dann wiederkamst und mir ein flaches Päckchen und ein Buch in die Hand gedrückt hast, soll ich dir sagen, daß dieses flache Päckchen und die Gebrauchsanleitung viel zu spät kamen, daß es da schon lange passiert war? Weißt du das überhaupt noch? Ach, sagst du jetzt, vor zehn Jahren? Wart doch mal. Da haben wir das Haus noch abbezahlt, in der Küche waren die Handwerker, haben die Fliesen gelegt. Aber warum hab ich nichts gemerkt? sagst du. Das hat mich auch gewundert. Du hast nichts gemerkt, auch nicht, daß du den ganzen Sommer lang betrogen wurdest. Betrogen?, da beißt du dich fest. Noch interessanter, der Betrug, als meine Unschuld, ja? Na gut, erinnere dich: der gleiche Sommer, zwei Monate früher. Ende Juni etwa. Kurz vor den großen Ferien, du bist nachmittags noch in der Redaktion, wahrscheinlich, weil ihr eine Klimaanlage habt, Papa unterwegs, er ruft täglich an, aus Stuttgart, Hannover, Kiel, und klagt über die Hitze auf den Straßen. Ach du Ärmster, sage ich, und richte dir seine Grüße aus. Dein Garten, kaum größer als der Wohnzimmerteppich, ist schon losgegangen wie ein Feuerwerk: Iris und Rosen, auf dem Rasen Galaxien von Gänseblümchen. Die kleinere Hälfte der Welt, sagst du, aber immerhin. Wenn man's so schön hat daheim, sagst du, braucht man nicht wegzufahren. In meinem Kopf verschwimmen die Blüten. In der Schule sitze ich neben einem Mädchen mit langem rotem Haar und fühle mich fremd. Langes rotes Haar, hör ich dich sagen, das ist Susi. Susi hat schon ein Baby, sagst du. Überleg gut, sagst du, viel Zeit hast du nicht mehr. Ach, Susi, sag ich, ich erzähl dir mal was von Susi. Susi hat sich mit einem Jungen eingelassen. Einem von denen, die nicht aufs Gymnasium gehen, die bloß herumstehen und auf Mädchen warten, einem von denen, die du mies nennst. Das Blut hat sie mit Küchenschwamm und Spülmittel weggekriegt. Hinterher hat sie's sich selbst gemacht. Seitdem benutzte Susi ausschließlich dieses Wort. Welches? fragst du. Das F-Wort, Mutti. Ach, sagst du, das, und machst eine Bewegung, als würdest du Luft schaufeln mit deiner Hand. Ich sag es ja nicht, dieses schreckliche

Wort. Das bleibt, auch wenn es keiner aussprechen mag. Du nicht, ich nicht, Papa schon gar nicht. Und der Nachbar? Der sagt es auf englisch. Auf englisch klingt es weniger schlimm, jeder sagt es mal. An diesem Tag, es ist ein Dienstag, und ich hätte eigentlich fünf Stunden Schule, aber die letzte fällt wegen der Hitze aus, komme ich die Treppe runter, und durchs Fenster sehe ich den Nachbarn auf unserer Terrasse. Sag doch nicht immer Nachbar, hör ich dich, er hatte doch einen Namen. Na gut, Mr. Waterhouse, Kammersänger Waterhouse, Wasserhäuschen, wenn wir zwei von ihm sprachen, aber vielleicht wirst du diesen Namen bald aus deinem Kopf streichen wollen. Mr. Waterhouse sammelt Tulpenblätter, die der Juniwind vom Beet herübergeweht hat, und er steckt sie in seine Jackettasche. Er trägt immer dieses karierte Jackett, das aussieht wie eine Reitjacke, erinnerst du dich? Das hat dir gefallen. Ich frage ihn, ob er aus den Blättern vielleicht Tulpentee machen will. Nein, sagt er, er wolle sie in eine Schale auf dem Kaminsims legen und mit Rosenöl besprenkeln. Der Vormieter sei Raucher gewesen und Rauch habe sich im Teppichboden festgesetzt. Derselbe Teppichboden wie bei uns, nur grau statt grün. Das ganze Haus ist identisch.

Eigentlich, sagt Mr. Waterhouse, sind unsere Häuser Zwillinge. Ja, sage ich, aber nur außen. Er: woher ich das wisse. Und ich: Haben Sie eine Tochter, die aussieht wie ich? Darauf schaut er mich an und sagt: eine Tochter wie dich? Laß mal sehen ... nein, sagt er dann, wirklich nicht. Ich freue mich, daß ich gewonnen habe. Die Gründe, warum wir dann zu ihm rüber gehen: ich soll mit ihm an der Aussprache eines Liedes arbeiten, er erwartet einen Anruf, und sein Rasen muß gegossen werden. Ich sage, kann ich das Kostüm anlassen? Da höre ich schon die Kieselsteine unter seinen Schritten.

Dein rotes Kostüm, Mutter. Kurz und ärmellos, etwas dunkler als eine Himbeere, es sieht so kühl aus wie ein Gebüsch. Wenn ich Schule schwänze oder früher nach Hause komme als du, gehe ich immer zuerst an deinen Schrank. In deinen Kleidern spüre ich, daß ich gewachsen bin. Sonst bleibt hier immer alles gleich. Heute passen mir deine Kleider sogar besser als dir selbst. Auch Mr. Waterhouse merkt es. Er sagt: Du leuchtest wie ein Bonbon. Du gäbst eine gute Sängerin. Schau, deine Arme – als wüßte ich nicht, wie meine eigenen Arme aussehen – wie zwei helle Stämme, sagt er, und das kränkte mich damals, heute weiß ich, es lag am Kostüm, – es war eng und schnitt an den Schultern ins Fleisch, deine Arme waren eben dünner als meine. Mr. Waterhouse sah mich voller Neid an, gleichzeitig aber auch so, als sei er mir völlig ergeben. Solche Blicke bekommt man, wenn man um die vierzehn ist, langes Haar hat und glaubt, man könne weder sterben noch erwachsen werden. Bringen Sie's mir bei, sage ich und möchte Sängerin werden, sofort, während ich ihm folge. Auch auf seine Terrasse knallt die Sonne, das Wohnzimmer dagegen dunkel, die Tür steht offen, Mr. Waterhouse schließt nie ab. Gib zu, es hat dich gestört, daß seine Zimmer so leer waren. Mr. Waterhouse hatte nichts mitgebracht, keine Steine fürs Fensterbrett, keine Photographien, keine Bücher, nur Keyboard und Anrufbeantworter, so ein Maschinchen wie ich heute auch eines besitze. Ich glaube, sein leeres Haus weckte in dir einen Fütterinstinkt. Ich mußte ihm immer ein Stück Braten, eine Kuchenecke oder ein Schüsselchen Gemüse hinübertragen. Und wenn Papa weg war, brachte er die leeren Schüsseln zurück. Auf dem Kaminsims steht eine Likörflasche mit langem dünnem Hals, die war von dir. Mr. Waterhouse spricht mir ein Lied vor.

Er spricht deutsch, als sei er ein Kind und jede Silbe ein Karussell. Wenn er singt, ist er erwachsen. Für einen Sänger hatte er einen ziemlich kleinen Mund. Doch hatte man den Eindruck, dieser Mund sei äußerst beweglich, nicht etwa, weil er dauernd redete, sondern weil er viel mit den Lippen machte, sie nach der einen oder anderen Seite verzog, oder sie nach vorn schürzte, daß es aussah, als seien sie aus Pudding. Er zündet sich eine Zigarette an. Dürfen Sänger rauchen? frage ich, und er sagt, Sänger dürfen alles. Sie sind zur Freude da. Singen ist wie lieben, sagt er. Blabla, sage ich. Why are you embarrassed? You are beautiful. I could kiss you without making it embarrassing.

Ich habe einen Freund, sage ich.

Wie alt, fragt er.

Fünfzehn, sage ich.

Dann kann er's nicht, sagt unser Mr. Waterhouse.

Was?

Küssen ohne Schrecken.

Ja, Mama, jetzt lächelst du, der Thomas, sagst du, das war der Richtige, warum bist du nicht bei Thomas geblieben und hast das bißchen Schrecken in Kauf genommen?

Thomas und ich teilten die Stadt nach Verstecken und Sitzgelegenheiten ein. Nach Bänken, Mülltonnen, Treppen, unüberwachten Hauseingängen, U-Bahnhallen, unbenutzten Aufzügen und öffentlichen Toiletten. Wenn wir uns küßten, wollten wir allein sein. Im Winter standen wir manchmal hinter dem hüftlangen Vorhang einer Photokabine, Thomas hielt meinen Zeigefinger mit seiner Faust und bedeckte mein Gesicht mit Küssen. Kleine schnelle Küsse wie ein pickender Hahn.

Thomas redet eben nicht übers Küssen, sage ich zu Mr. Waterhouse. Wieso soll man auch darüber reden?

Gib es zu, sagt Waterhouse, you are embarrassed.

Yes, sage ich.

Ihr konntet damals gar nicht über solche Sachen reden, Mutti, dazu war dein Englisch zu schlecht. Ich hab ja oft für euch dolmetschen müssen. Vielleicht hättest du gern über dich und Papa gesprochen, über eure Geliebten. Mein Mann und ich, hättest du gesagt, sind tolerant, wir sehen das nicht so eng. Aber halt das Kind raus, das Kind würde es nicht verstehen, nur fehlten dir die Vokabeln. Mir fehlten sie nicht. Das ist der Nachteil der höheren Schule: man weiß mit vierzehn schon zu viele Worte. Mr. Waterhouse hat mir nichts über euch erzählt, obwohl er und ich jetzt irgendwie Verbündete sind, auch wenn er eher dein Verfallsdatum war als meines. Würde er nicht soviel reden, wäre er mir gewiß überlegen. Aber er redete dauernd. Erst später sagte er plötzlich nichts mehr.

Kommen Sie, sage ich, Ihr Rasen ist schon ganz matt.

Unser Mr. Waterhouse zieht sein Reiterjackett aus und wirft es aufs Sofa – er war einfach unordentlich, wäre seine Wohnung nicht so leer, wäre alles durcheinander wie nach einem Einbrecher. Im Unterhemd geht er zum Kamin und nimmt einen Schluck Likör. Er reicht ihn mir, aber ich schüttle den Kopf. Er geht hinaus, wickelt sich den Schlauch um den Arm, trägt ihn zum Wasserhahn, sein Arm ist schneeweiß, und er hält ihn nach oben. Bevor er das Wasser anstellt, senkt er den Arm wieder, der Schlauch rutscht ins Gras wie eine tote Schlange. Als er das Wasser anstellt, bewegt sich die Schlange plötzlich bis vor meine Füße. Keine Angst, Mama, deine Schuhe, die schwarzen hohen, habe ich neben dem Kamin stehenlassen. Es zischt und gluckst im Schlauch. Ich hör dich schon, Mama, in der Mittagshitze gießen, rufst du, in meinem besten Kostüm, so war das also, und als wolle da etwas Gewaltiges zwischen deinen Brauen herauskommen, drückst du sie angestrengt zusammen. Aber ich stehe ja nur neben Waterhouse, der an der Düse herumdreht, bis das Wasser in einem weiten Kegel herausspritzt wie Staub. Wir beide werden naß, und unsere Kleider färben sich dunkel.

Nach dem Gießen tropft es in der Hitze von den Blättern, als spendeten sie uns leise Beifall. Leider hinterläßt das Wasser ein kleines Muster auf deiner Kostümjacke, und ich sage zu Waterhouse, wir müssen uns umziehen. What a great pretense, sagt Waterhouse noch, einen Satz, den ich damals nicht verstand, und auch wenn ich ihn verstanden hätte, hätte ich nicht gewußt, was nun folgte.

Wir haben alles versucht, Mama. Drinnen fönen wir den Stoff, wir bügeln ihn in seinem Schlafzimmer, dämpfen ihn, streichen ihn glatt, reiben ihn mit einem Seidentuch ab. Aber feine dunkle Ränder bleiben, als hätte dein Kostüm kleine Sprünge bekommen. Wir hängen die Jacke dann auf den Bügel am Fenster und schauen nicht mehr hin. Ich habe keine Ahnung, wie spät es sein könnte. Waterhouse hat ein Glas Likör mitgebracht. Er legt seinen Arm um mich. Eigentlich dürfe er das nicht, sagt er, er wolle mir aber bestimmt nichts tun, dann überlegt er einen Moment und sagt, You are makin' me so hot. Wie hätte ich dir das übersetzt, Mutti?

In seinem Schlafzimmer außer dem Bügelbrett nichts als ein schwarzes Bett und ein gelbes, wasserfestes Radio. Ich glaube nicht, daß er je sein Bett machte. Ich dachte an dich, Mama, als er begann, sich auszuziehen. Nicht nur, weil du uns von der Küche aus hättest sehen können, auch, weil sein Körper besser zu dir als zu mir paßt. Er war groß, ein bißchen dick. Wenig Haare, aber viele Muttermale. Er war so weich, daß ich mir neben ihm fast wie ein Junge vorkam.

Er zieht sich die Hosen aus, stößt dabei mit dem Ellbogen das Glas vom Nachttisch und sagt dieses schlimme Wort auf englisch, als der Likör auf dem grauen Teppichboden einen grünen See bildet, der nur ganz langsam versickert. Die Luft riecht nach Pfefferminze. Waterhouse geht ins Bad, und ich sehe ihn nackt von hinten, bei vollem Tageslicht und in Bewegung. Einen erwachsenen Arsch anschauen, das kam mir respektlos vor. Froh darüber, daß er mir diese Respektlosigkeit gestattete, lachte ich leise. Als er mit zwei Handtüchern zurückkommt, ist die Flüssigkeit schon weit in den Teppich eingedrungen. Er wiederholt dieses Wort, während er den Boden reibt, und unter dem Handtuch entsteht weißlicher Schaum, färbt den Fleck hellgrün, und alles, was an Waterhouse kein Knochen ist, wackelt, und aus seinem Haar, das er, vorn lang, nach hinten immer über eine lichte Stelle am Hinterkopf legte, löst sich eine Strähne, fällt übers Gesicht und schwingt ruckhaft hin und her, rhythmisch wie bei einem Dirigenten. Dieser Moment kam mir außergewöhnlich vor, es war, als nähme ich an einem Ritual teil, durch das ich in die Welt der Erwachsenen aufgenommen werden würde. Solche Momente würden ab jetzt zu meinem Alltag gehören. Plötzlich steht Waterhouse auf, den Blick immer noch auf dem inzwischen weißen Fleck, schleudert das eine Handtuch Richtung Bügelbrett, breitet das andere sorgfältig auf dem Bett aus. Er nimmt einen Schluck aus dem frischgefüllten Glas. Dann hält er meinen Kopf zwischen seinen Händen, legt seinen Mund auf meinen und läßt den Likör herausfließen. Als er mich losläßt, schlucke ich. Dann ziehe ich schnell den Rock aus. Er berührt mein Haar, und ich streiche es zurück. Seine Finger sind wie Zauberstäbe, mit denen er alles zum Verschwinden bringt. Mein T-Shirt, mein Hemd, meine Angst. Später hast du angerufen, Mama. Waterhouse nahm nur ab, weil sein Maschinchen nicht eingeschaltet war. Er hatte einem Agenten vorgesungen und wartete auf das Ergebnis. Tut mir leid, Mama, aber du hast mich gefragt. Ich wußte, daß du dran warst, schon bevor er sagte, No, Heike. Ich hörte jedes Wort, ich hörte dich klagen über die Hitze in der Innenstadt, und ich hörte, wie du ihn gefragt hast, ob er nicht kurz auf einen Lunch kommen wolle, zum Italiener. Aber er sagte einfach, No, Heike, und dafür war ich ihm so dankbar, daß ich alles getan hätte. Er schaltete das Maschinchen ein, dann nahm er meine Hand und legte sie auf seine heiße Stirn, Heike glaubt wohl, sagte er, Ich sitze irgendwo draußen am Meer und mache Urlaub.

Du hast uns gestört, Mutti. Wir waren gerade dabei, intim zu werden. Richtig intim. Unser Mr. Waterhouse sah meine Brüste an, er sah sich alles ganz genau an. Ich hatte alles vergessen, all die neuen Meinungen über die neuen Brüste: wie die Vollgummistopper hinter der Schultür (laut Susi); unzusammenhängend und deshalb noch nicht das Wort Busen verdienend (sagtest du, als ich um Geld für einen BH bat); Eulenaugen (nanntest du sie, als ich in der Badewanne lag). Diese Eulenaugen hat er geküßt, Mutti, als du anriefst, ich lag unterm Laken, hoffte, er kehre bald wieder und wir brächten es hinter uns.

Wir bauten ein Haus aus parallelen Armen und angewinkelten Beinen und meinem flachen und seinem fleischigen Bauch und dem Gitter der Hände. Im nachhinein muß ich sagen, es war ein fest verschlossenes Haus, du und Papa und eure Einbauschränke, in denen es nach Waschpulver riecht, blieben draußen im Hellen, während wir uns zwischen unseren Köpfen eine Dunkelheit teilten, als lägen wir im Schatten von irgend etwas, wahrscheinlich uns selbst. Ich sah seine Augen nicht, zu dicht waren sie bei mir. Ich spürte seine Wimpern, die mir nie aufgefallen waren, schlagen wie Schmetterlinge. Ich glaubte, er sehe mich auch nicht, bis er meinen Namen sagte. Er hob sich etwas, unser Haus öffnete sich, es wurde hell, ich sah so ein flaches Päckchen, ja Mama, blau mit einem Regenbogen drauf, genauso ein Päckchen, wie du mir zwei Monate später in die Hand gedrückt hast. Wer hat es gekauft? Du? Er? Papa? Mr. Waterhouse setzte sich auf. Was er zwischen zwei Fingern hielt, sah aus wie ein kleines weiches Tiermaul, das er in eine rosa Folie packte. Ich sah ihm zu und fühlte mich frei.

Move now, sagte er. Das Telefon klingelte mehrmals. Du wirst mal eine gute Frau, sagte er. Das Maschinchen sprang an.

Danach holte ich mein T-Shirt, und alles, was er weggezaubert hatte, war wieder da. Während Waterhouse die Messages ablaufen ließ, wickelte ich mich in das Handtuch und untersuchte die Kostümjacke. Ich hörte, wie er wieder dieses Wort sagte, er sagte es mindestens dreimal hintereinander, und ich dachte an die miesen Jungs. Die haben lauter solche Wörter drauf. Die schreiben sie nachts an Häuserwände und Unterführungen.

Du warst noch nicht aus der Redaktion zurück, als ich drüben ankam, dein Kostüm in einer Plastiktüte, Wasserhäuschen hatte mir Kleider geliehen, die ich ihm am nächsten Tag wiederbrachte. Ich schlich mich zu deinem Schrank, Mama, legte alles sorgfältig hinein, aber du hast doch gemerkt, daß das Kostüm hin war. Das war zwei Wochen später, als du Waterhouse mit zwei Kinokarten überrascht hast. Aber über diese Katastrophe spreche ich jetzt nicht.

DIE LUST DER GANS BEIM GESTOPFTWERDEN

Immerhin, wir beherrschten die Strecke, bis zu dem Tag, an dem meine Freundin die Beherrschung verlor. Zu der Stelle, wo die Autos halten konnten, führte nicht mal ein Pfad. Wir kämpften uns durch farbiges Laub, durch welke Brennesseln, Schlehen- und Weißdorngestrüpp. Am Straßenrand blieben wir stehen. Wir hielten die Arme abgewinkelt vom Körper, die Daumen senkrecht. Je länger keiner anhielt, desto länger streckten wir die Arme aus, desto höher zogen wir die Röcke. Wir probierten es mit zwei Fingern oder mit einem, mit Peace oder Fuck, wenn nichts half auch mit dreien: schwören fiel uns schwer. Wir mußten zu oft lügen, eigentlich ständig – wenn wir in die Stadt wollten oder zu spät nach Hause kamen oder Geld brauchten oder den Fahrern was erzählten. Wir mußten soviel lügen, daß nur Schwören dagegen half. Hätten wir vielleicht Buch führen sollen, welche Fahrer bei welchem Wetter auf welche Finger anbissen? Stifte im Rucksack meiner Freundin, Kajal und Lipliner, man soll uns schon von fern erkennen können. Meine Freundin sagte, Ich mache einen Schritt weg von zu Hause, um es besser sehen zu können. Jeder vorbeirasende Wagen tut ein bißchen weh – wie ein Pflaster, das man von der Haut reißt.

Irgendeiner hält immer. Wir verteilten uns – ich hinten, Laura vorn, damit der am Steuer nicht denkt, er sei unser Chauffeur. Wir sind höfliche Mädchen oder Frauen oder was. Er fuhr in die Stadt, Ampel eins bis acht, und Gewerbegebiete Ost, Nord, West, Süd. Die Bundesstraße fädelt Dorf um Dorf auf und mündet in die Autobahn. Links und rechts und in der Mitte überwuchert Knöterich die angepflanzten Büsche, verknäult alles miteinander. Wie im Rucksack meiner Freundin die Kassetten (echte, alte Musikkassetten – wir steigen immer wieder in solche Vergangenheitskabinen, wo es zugeht, als gäbe es noch keine CDs). Ein Salat aus Telefonkarten und Popcorn, Tampons und zerbröselten Zigaretten, Modeschmuck. Der Fahrer trug perforierte helle Lederhandschuhe, die Fingerspitzen frei. Seine Augen waren stur auf die Fahrbahn gerichtet. Sie war leer um diese Zeit. War silbergrau wie bei trockenem Wetter die Monster-Buche im Garten von Lauras ständig verkrachten Eltern. Was ist vielversprechender als eine freie Autobahn in der Dämmerung. Man könnte bis Italien rollen – erste, Nacht wegschluckende Zypressen, dämmrig gelbe Bahnhöfe, dickflüssige Schokolade zum Frühstück, einen Platz für die nächste Nacht gibt es immer, solange es Parkbänke gibt.

Der Wagen glitt dahin wie auf einer Luftbahn. Der Fahrer redete wenig und fuhr schnell. Nicht mal wenn er sein Handy mit der Schulter ans Ohr preßte, nahm er den Fuß vom Gas. Auch nicht, als er mit der Druckerei um Preise feilschte. Und auch nicht, als er uns englische Drops anbot. Vielleicht war er schon so lange unterwegs, daß sein Maßstab für Geschwindigkeit sich verschoben hatte. Wie beim Vater meiner Freundin, wenn er vom Bereitschaftsdienst nach Hause rast. Biegt in die Siedlung wie eine verirrte Pistolenkugel. Mitten rein in diese eingezäunte Spiellandschaft mit Satellitenantennen, Blumenkübeln und Skates und Dreirädern, zuckerverklebten Kindern und Müttern und ihren Neuigkeiten, die nie welche sind. All das, wovon wir uns jetzt so wunderbar luftig und schnell entfernten: Danke, wir wollen keine Drops, sagte meine Freundin. So redet sie dann eben. Bei Fremden kriegt sie manchmal Schüchternheitsanfälle. Ihre Mutter meint, sie tut bloß so. Ihr macht alles Spaß, was ihre Mutter ärgert. Zum Beispiel auch Geschenke in fremden Autos. Aber Drops mögen wir einfach nicht. Kaugummis und Schoko schon. Chips nie – bloß keine

Krümel, für die man uns hinterher zur Rechenschaft ziehen könnte. Nie etwas zurücklassen, keine Namen, keine Telefonnummern. Nichts zurücklassen als das stille Verlangen in den Augen der Fahrer. Das nehmen sie mit. Die Autobahnen rauf und runter, kreuz und quer durch die Republik. Bei jungen hübschen Fahrern beneide ich meine Freundin; sie sitzt meistens vorn. Sie sagte nichts, also sprach ich es aus: Essen Sie Ihre Drops selbst. Da fing der Fahrer an zu reden. Das erste, was er sagte, Auf euch zwei Hübschen hab ich gewartet. Ihr auf mich aber auch.

Nett von ihm, uns darauf aufmerksam zu machen. Meine Freundin fand wieder nicht gleich die richtigen Worte. Also sagte ich von hinten, Wir haben ein Gespür, bei wem man einsteigen kann. Wir fahren nicht mit jedem mit.

Ich sah die Fahreraugen im Rückspiegel und fügte hinzu: Wir schauen uns die Leute schon genau an. Kein Merkmal an ihm allerdings, das uns hätte ins Auto locken können. Wir mögen bewegliche Gesichter, die durchscheinen lassen, was in den Männern vorgeht, mit Lippen wie Vollgummireifen und Haaren zerblasen vom Fön oder Fahrtwind in alle Richtungen. Aber das Gesicht dieses Fahrers war wie ein Grenzgebiet, belebt von Kleinvieh, beäugt von zwei Seiten. Drei Haarpolster markierten es – zwei kleine über den Augen, ein großes überm

Mund, meliert wie ein Dachs. Wie oft muß er die Wangen roden, um nicht zuzuwachsen, dachte ich. So hat er eine Schneise im Gesicht. Diesmal kam meine Freundin mir zuvor: Ihre Stimme, sagte sie, Ich habe Ihre Stimme gehört, und da wußte ich, bei dem kannst du mit.

Der Fahrer lachte und drückte meiner Freundin die Dose Drops in die Hand. Mach mal auf. Seine nackten Fingerkuppen griffen hinein und zogen einen ganzen Drops-Klumpen hoch.

Hilf mir, sagte er. Meine Freundin brach ein grünes Bonbon heraus. Der Fahrer drehte den Kopf zu ihr, ohne die Straße aus dem Blick zu lassen. Schieb's mir rein. Meine Freundin zögerte. Sein Mund, ich sah es im Profil, ging auf, heraus kam die Zunge. Wie auf den Bildern von der Mir, wenn die Crew mal wieder ein Problem behoben hat: Klappe auf, Fühler raus, Fühler rein, Klappe zu. Aber seine Zunge blieb stehen, und da fing das Problem an. Meine Freundin rührte sich nicht. Von der Rückbank aus ähnelte das Ganze einem gewagten Manöver, einem riskanten Akt der Balance – der Ledersitzlöwe und seine Seitenstreifendompteuse. Vielleicht wollte unser Fahrer irgendwas demonstrieren, Mut oder Ergebenheit.

Na, was ist denn, sagte er freundlich. Was hast du denn, Kleine. Wieder erschien die Zunge, dieses jähe Ende einer nassen Landebahn. Meine Freundin legte das Drop darauf ab und riß, als habe sie ein Feuerwerk gezündet, ihre Hand zurück. Der Fahrermund im Rückspiegel bewegte sich, und der Dachs darüber wurde lebendig – wogte hin und her, als schaukle er auf einer Luftmatratze. Die Nacht überzog den Asphalt mit Blau, um sich hier zu verbringen.

Meine Freundin sagte dem Fahrer jetzt genau das, was auf dem Beifahrersitz immer gesagt werden muß: Wir zwei haben keine Angst, wir werden erwartet, wir können Kampfsport. Zwei Männer, Bruder und Vater, beide informiert. Einer am Start, der andere am Ziel. Erwarten uns. Eine halbe Stunde zu lang, und sie rufen die Polizei. Eigentlich hätte sie genausogut sagen können: Wir sind jung und hübsch und zart wie die Blümchen auf unseren Röcken. Uns durchzuknallen wäre reizend, wir wissen nichts darüber. Wir sind Buchstaben, die nicht lesen können. Sie verstehen uns. Ja, Sie schon. So würde sie reden, wenn meine Freundin allein wäre mit mir. Bestimmt lächelte sie jetzt wie das Mädchen aus der Eis-Werbung, nur ohne Schoko-Bolzen vor dem Mund. Sie findet es selber schlimm, wenn sie sich nicht gegen ihr Lächeln wehren kann. Sie sagt, in solchen Momenten wächst eine Mauer um sie herum. Und jedes ihrer Worte prallt von der Mauer ab und legt sich über ihre Ohren, bis sie sich selbst nicht mehr versteht. Aber schlimmer ist, wenn sie drauflos quasselt. Bestimmte Stichworte, und es schwärmen Sätze aus ihr wie die Bienen. Da verrät sie einen, ohne es zu wollen. Ich hab' ihr schon oft gesagt, wie sie anfangen könnte: Bring den Fahrer auf seine Jugend. Als er selbst noch mit zerrissenen Jeans am Straßenrand stand. Dann ist er die Biene. Aber meiner Freundin fiel nichts ein als: Mögen Sie Fußball?

Und der Fahrer, Ich, wie kommst du 'n da drauf? Oh, sagte sie cool, oder so etwas, und das war's dann. Sie fing an, in ihrer Handtasche zu kramen, als suche sie dort Zuflucht. Ich lehnte mich vor und sagte, Wir beide hassen Fußball. Die Jungs aus unserem Freundeskreis – eigentlich kein Kreis, eher lauter verstreute, einzelne Pünktchen süßer Jungs, rauchen kleine Joints, wissen nichts voneinander und haben einander nie gesehen. Aber einmal im Jahr sind sie wie verwandelt: Beim Pokal-Endspiel, wenn die Straßen ausgestorben sind, werden diese süßen verschmusten Einzel-Jungs plötzlich zu Trauben von Jungs und Softies. Füllen das Zimmer mit Bier und TV und Geplapper und spielen unsere erwachsenen Väter.

Ihr geht noch zur Schule, ja, sagte der Fahrer. Er sagte es zu mir. Da meine Freundin nicht fähig war zu sprechen, tat ich es.

Klar, sagte ich. Aber morgen schwänzen wir. Wir müssen auch mal raus. Egal wo man hinkommt, zu Hause, in der Schule, überall reden sie von Optimierung … immer muß alles optimiert werden … da müssen wir mal raus.

Kannst mir wohl noch was beibringen, sagte der Fahrer. Er zog einen Stoß Zettel aus der Tasche, warf sie Laura hin.

Lauter Kalkulationen, Kostenvoranschläge. Papierpreise, Auflagenhöhen, Klebebindung, Ringelheftung. Die Aufträge müssen alle schnellstens in Druck. Die Klitschen hier in der Gegend haben die Preise abgesprochen. Die müssen noch runter.

Laura gab keine Antwort.

Redet deine Freundin immer soviel?

Ja, sagte ich, Immer.

Gottseidank waren seine Augen im Rückspiegel gefangen. Draußen hörte der Wald so abrupt auf, daß ich dachte, es müsse soeben ein Stück davon weggebrochen und an den Horizont gerutscht sein. Zäune und aneinandergekettete Strommasten zerteilten die Wiesen und den Himmel und fügten sie neu zusammen in einem Raster aus Rechtecken. Eines davon, übersät mit weißen Flecken.

Da rief meine Freundin plötzlich: Gänse, schaut mal, wie viele Gänse … Ihre Stimme klang erleichtert. Zum ersten Mal nahm der Fahrer abrupt den Fuß vom Gas und sah eine Sekunde weg von der Fahrbahn. Die warten auf Weihnachten, sagte er und beschleunigte wieder. In diesem Moment quasselte meine Freundin los. Oh hätte sie doch ihren Mund gehalten.

Bei uns gibt's die Bescherung schon vor dem Fest. Mein Vater hat am 24. Dienst. Letztes Jahr kommt meine Mutter mit 'ner Gans an, und will uns zeigen, wie man kocht. Sie macht den TV-Koch und Gast in einem und wir (hier wies meine Freundin auf mich) die Zuschauer. Je mehr sie sich bemüht, desto klarer sind wir für eine gänsebratenfreie Zukunft. Los, sagt sie, Ihr müßt die Gans waschen. Auf, jetzt müßt ihr sie füllen. Los, näht die Gans zu. Ab damit in den Ofen. Dabei tut meine Mutter alles selbst, jeden Handgriff – in Wirklichkeit will sie doch gar nicht, daß wir was tun! Wir sollen nur zuschauen. Wie sie vor dem Ofenfenster steht. Auf diese geflickte Leiche im Römertopf starrt, als hätte sie 'nen Rembrandt vor sich. Los, sagt sie, Ihr müßt sie begießen. Mit dem eigenen Saft. Bloß nicht austrocknen lassen! Und diese arme Gans mit ihrer hohen Brust hat so was Majestätisches, trotz allem – eine Königin ... Und beim Begießen stößt Mutter mit der Hand an die Grillröhre. Da zuckt sie aber. Dann schnappt sie sich das längste Messer im ganzen Haus: Los, jetzt müßt ihr sie anstechen. Und schon bohrt sie selbst durch die Haut. Dann den Ofen wieder zu – ist noch nicht soweit. Da kommt noch was raus ... Blut oder was ... Ich also auf und davon. So was tu ich mir nicht an. Die da hinten (hier wies meine Freundin wieder auf mich) hat bessere Nerven. Und meine Mutter, oh Gott, total außer sich: Du Kuh, brüllt sie mir nach … Aber wer sich an Gänsen vergreift, ist mein Feind … wer dazu fähig ist …

Es klang so kindisch, daß ich mir wünschte, meine Freundin würde wieder in ihre Sprachlosigkeit zurückfallen. Der Fahrer sagte, Wenn du mich fragst, ich finde das zu extrem.

Extrem …, rief Laura wie im Schülertheater.

Ich unterbrach: Sie meint, sagte ich, ihre Mutter sah die Gans als Braten. Wir sahen den Braten als Gans.

Laura warf mir einen Blick zu. Sie ließ sich nicht mehr abstellen.

Extrem? Bitte zum Essen kommen! Sie braucht mich doch nicht zu bitten. Wenn ich nicht antrete, streicht sie mir das Taschengeld. Mein Vater kommt mit so 'ner Tischsäge an. Säbelt am Vogel 'rum. Die Säge versagt. Er flucht, gibt meiner Mutter die Sporen. Die rennt los nach Sägeersatz. Er popelt die Batterie aus dem Griff und sagt: eine Bio-Gans. So schmeckt das Glück. So ein Quatsch, sag ich, und er: In Frankreich und Polen werden Gänse mit Trichtern gestopft. Tierquälerei, sage ich, Gehört verboten. Allerdings schmecken die auch, sagt er. Hättest du Lust auf einen Trichter, sag ich. Aber mein Vater! Seelenruhig schiebt er den Sägegriff wieder zu und sagt: Gänse sind gierig. Fressen ohne Ende. Und überhaupt, was weißt du schon von der Lust der Gans beim Gestopftwerden. Gänse … haben irre hohe IQs …

Mit dieser alten Geflügelschere machen die die Gans klein. Rauben der Gans ihre Gänsegestalt. Und die Gans hört auf, Gans zu sein …

Mir zu philosophisch, wenn du mich fragst, sagte der Fahrer. Gänsegestalt! Aber deine Eltern, alle Achtung. Schon tolerant.

Meine Eltern, sagte meine Freundin, sind die ewige Schlechtwetterfront überm Wohnzimmer. Sie streiten, sobald der Wind sie zufällig zusammentreibt. Wir atmen – sie streiten.

Laura, sagte ich, sie hat dir aber geschmeckt.

Meine Freundin drehte sich um: Was willst du? sagte sie.

Die Bratäpfel, der Rotkohl, die Füllung, sagte ich, alles blieb, was es war. Und das Fleisch zwischen unseren Zähnen. Also bitte, sagte ich, es hat dir geschmeckt.

Du schnatterst zuviel, sagte sie und lief rot an.

Hauptsache ich werd' nicht zersägt, sagte ich.

Zersägt werde höchstens ich, sagte der Fahrer. Wenn ich meine Aufträge nicht unterkriege. Mir alles viel zu theoretisch. Er wies auf die Ablagen zwischen den Vordersitzen, wo Laura die Kalkulationen deponiert hatte. Mal's doch einfach auf, was du meinst. Nimm dir einen der Stifte und leg los. Laura begann in den Kostenvoranschlägen zu wühlen. Kleiner Weltbild Verlag. Alles für Haus und Garten. Sie nahm sich eine der halbbedruckten Seiten. Was sie hinlegte sah eher aus wie eine Bettpfanne für alte Leute.

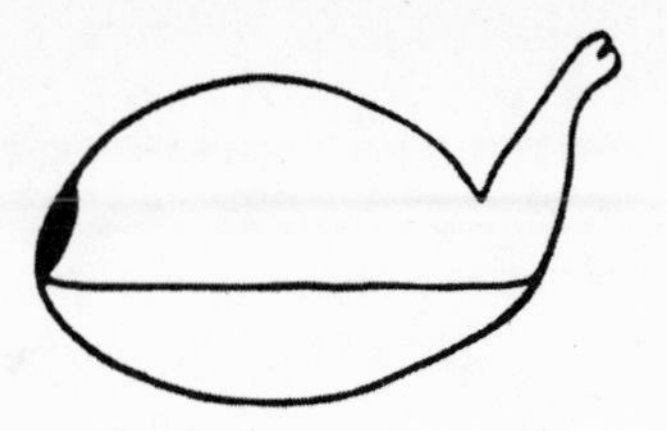

Hat eine von euch einen Lipliner, sagte der Fahrer. Die Scheinwerfer auf der Gegenfahrbahn wurden immer schriller, und unterm Lenkrad begann der Tacho grün zu leuchten. Der Fahrer zeichnete auf eine der Kalkulationen auf dem Wurzelholz neben dem Schaltknüppel. Er zeichnete fast ohne hinzuschauen. Ich glaube er wollte Laura provozieren.

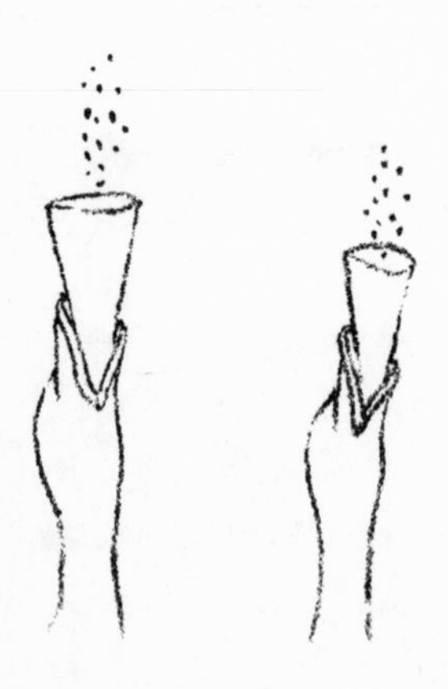

Du wirst gern von Typen aufgelesen, sagte er. Meine Freundin schwieg und spitzte den Lipliner.

Was machst du, wenn einer plötzlich abbiegt?

Was soll ich schon machen, sagte sie. Sitzenbleiben natürlich. Was sonst.

Und wenn einer was will.

Zieh' ich ihm eins über die Rübe. Während ich ihm eins überziehe, haut die da hinten ab und holt Hilfe.

Überziehen, sagte der Fahrer. Er schob seinen Arm hinüber zu ihr. Ich war froh, daß ich hinten saß. Das war wie bei einem blöden Viertel-nach-acht-Krimi. Ich würde lieber abschalten, aber er läßt mich nicht raus. Wir saßen fest in diesem Wagen – diesem Zweitürer. Wenn einer sich in den Kopf gesetzt hat, dich umzubringen, dann kannst du das nicht ändern. Er wird es tun. Aber er muß mit Konsequenzen rechnen, und du mußt versuchen, deinen Tod solange hinauszuzögern, daß die Konsequenzen beginnen, solange du noch am Leben bist.

Die da hinten schläft, sagte der Fahrer. Ich schloß die Augen. Ich dachte an die Gänse, die ihr Leben lang an der Autobahn saßen. Nachts verbargen sie die Köpfe unter den Flügeln, und ihre weißen Gestalten stachen den Vorbeirasenden ins Auge. Lauter lächelnde Frauenmünder. Ich begann, sie zu zählen. Dann blinzelte ich unter den Wimpern hervor. Ich sah die fünf Fingerkuppen des Fahrers auf Lauras Schenkel spazierengehen. Ich schloß die Augen wieder. Warum haut sie nicht drauf, dachte ich. Unmöglich, daß er ihr gefällt. Dieses wie ein Vorstadtblumenbeet durchgestutzte Gesicht – wir mochten wilde, verwunschene italienische Gärten. (Manchmal erzählte meine Freundin allerdings, wie versessen sie ist auf Berührungen. Zartsein. Immer ihr Gefühl, man sei zu wenig zärtlich zu ihr.) Inzwischen trippelten die Fahrerfinger voran wie kleine Skorpione beim Tonleiterüben. Meine Freundin klappte den Beifahrerspiegel runter und zog sich die Lippen nach. Ich erkannte sie fast nicht mehr, so stark rahmte sie ihren Mund. Vielleicht, dachte ich, läuft zwischen den beiden was, das keiner kapiert, der Fahrer nicht und Laura nicht und ich vom Rücksitz aus schon gar nicht.

Gib mir deine Hand, sagte er.

Laura schnippste seine Finger sanft von sich. Ich lehnte mich nach vorn und sagte: Ich muß pinkeln. Er schaltete sofort runter. Der Blinker tickte. Meine Freundin drehte sich zu mir um. In ihrem Gesicht suchte ich nach einem Zeichen, nach einer Regung, die nur für mich bestimmt war, und fand keine.

Es war kein Rasthof. Es war ein leerer Parkplatz mit wenigen Straßenlaternen. Und mit einem dieser Toilettenhäuschen, die, kaum daß man die Tür öffnet, automatisch spülen. Manchmal spülen sie auch schon vorher. Sie spülen und spülen, als seien sie allein die Überlebenden einer Katastrophe und versuchten nun, sich selbst wegzuspülen. Ein Stück weiter stand ein LKW. Dunkel, als habe man ihn hier vergessen. Ich sagte laut, Vorsicht. In dem LKW schläft vielleicht einer. Lastwagenfahrer können komisch sein.

LKW bin ich auch mal gefahren. Lang ist's her, sagte der Fahrer.

Wie lang, sagte Laura.

Was machen wir mit deiner Freundin, sagte er.

Laura sah mich fragend an. Ich sagte irgendwas wie, LKW-Fahrer haben Räder auf den Augen. Der Fahrer zog den Autoschlüssel ab und stieg aus.

Schnell, sagte ich und drückte den linken Türknopf hinunter, dem der rechte prompt folgte. Bleib sitzen, sagte ich zu meiner Freundin.

Mein Gott, sagte sie, Hunde, die bellen, beißen doch nicht. Ich hörte, daß sie sich nicht sicher war. Ich weiß noch, daß ich plötzlich das Gefühl bekam, sie sei sehr weit entfernt von mir. Ich saß dicht hinter ihr und blickte über ihre Schulter wie in eine andere Welt hinein. Eine Welt, in der sie für mich agierte, in der sie für mich etwas aushalten mußte, in der ihr etwas zugemutet wurde. Das sah ich. Ich erwartete, daß sie anfinge, sich zu wehren. Davon ging ich aus: gleich würde sie laut loslachen oder weinen, so laut, daß sie mich damit anstecken würde. Aber meine Freundin blieb einfach sitzen. Ich sprach mit ihr, und sie bemerkte mich gar nicht. Ich sagte: Laß uns abhauen. Sie sah dem Fahrer zu. Er lief um den Kühler herum. Er klopfte an die Scheibe. Ich ließ den Knopf nicht hoch. Wir waren wie zwei Taucher in einem U-Boot, das vom weißen Hai angegriffen wird. Er schlug ein paar Mal gegen das Fenster. Dann ging er davon, Richtung LKW. Sein Handy zirpte Beethovens Fünfte.

Ich sagte, Hallo?

Eine Frauenstimme, Udo? (Pause). Wer ist da?

Sie kennen mich nicht … könnten Sie …

Ich wollt' bloß sagen, der Auftrag geht in Ordnung. Wie besprochen.

Nein, sagte ich. Lassen Sie's. Zu teuer.

Wer ist da?

Sie kennen mich nicht … ich sitz hier fest …

Bitte was …

Rufen Sie die Polizei …

Sie legte auf. Ich wollte wählen, doch auf dem Display erschien ein kleiner Schlüssel.

Komm endlich raus, sagte ich zu meiner Freundin. Sie blieb sitzen. Ich stand vor dem Wagen, als Udo zurückkam und sich neben mich stellte. Durch die Windschutzscheibe sahen wir, wie meine Freundin sich das Haar toupierte. Sie legte es um den Hals nach vorn, glatt und lang und aufgebauscht wie ein heller Fuchsschwanz. Fahren wir weiter, rief sie aus der offenen Tür.

Du mußt doch mal, sagte Udo zu mir.

Es war wirklich dringend. Im Laufen hörte ich Udos Stimme und sah mich um, Du spinnst wohl, sagte er. Ich sah, wie er das Haar meiner Freundin packte, als wäre es eine Leine. Ich weiß noch, wie sie ihm auf die Hand schlug und wie ich dachte, seine Hand ist doch keine Hundeschnauze, und dann rief ich so laut ich konnte: Gleich wird mein Bruder den Blick von seinem Bier ab und hin zu seiner Armbanduhr wenden. Er wird zuerst seinem Blick mißtrauen, dann der Uhr, dann der Straße. Er wird den Straßenbericht kontrollieren, und da es dumm von ihm wäre, seinen Ohren auch noch zu mißtrauen, wird er mithilfe seines Handys ein Netz knüpfen. Ein Netz aus Polizisten und Motorradfahrern.

Ich sah Udo das Haar meiner Freundin um seine Hand wickeln und schloß daraus, daß er kein Vorstellungsvermögen besaß oder aber glaubte, er sei ein kleiner wendiger Fisch, der durch alle Maschen schlüpft. In diesem Moment riß sie ihm ihr Haar aus der Hand. Sie bündelte es nach hinten, drehte es stramm hinauf zu einem Turm und baute blitzschnell ein Haargebäude auf, das sich sekundenlang hielt. Und noch eh ihr Haar explodierte, drehte ich und rannte auf den LKW zu.

In der Fahrerkabine brannte Licht. Ein PKW fuhr heran. Ich hastete Richtung Laterne. Ich winkte. Ein Mann kletterte aus der Kabine, nach ihm eine Frau. Er half ihr hinab. Sie duckten sich beim Einsteigen in den PKW. Sie fuhren langsam davon. Ich stand da, die Arme überm Kopf gekreuzt – ein kleines X in der Nacht.

Plötzlich hörte ich meine Freundin lachen. Dann Udos Stimme. Sie klang erstaunt, Aber hallo. Ich stellte mir vor, wie Lauras Hand zu seinem Dachs flog, ihn durchforstete und durchkämmte, als jage sie Flöhe. Ja aber hallo, rief er noch einmal. Ich lief nun auf das Häuschen zu. Waschbetonwände in einer Neonwolke. Die fensterlose Zelle spülte zur Begrüßung. Dann eine Stille wie im Beichtstuhl. Alles an Menschen gerichtet, die nicht da waren. Für sie war es gedacht. Nicht für mich. Ich war nicht gemeint. Es stank. Ich wußte nicht, was da draußen mit meiner Freundin geschah. Ob sie die Zärtlichkeit kriegte, die sie vermißte. Ich wartete. Ich konnte nicht pinkeln. Ich ging hinaus. Eine Spülung zum Abschied. Ich war nicht gemeint.

Hinter dem Häuschen waren Büsche. Hinter den Büschen ein Acker. Ich dachte, in Italien gibt es Schlangen, da kann man nicht so einfach auf die Wiese pinkeln. Den größten Stein, den ich finden konnte, nahm ich mit.

Im Auto brannte das hintere Innenlicht. Die Scheiben waren beschlagen, und der Wagen wirkte mitgenommen. Was drin geschah, kann ich nicht genau sagen. Ich sah es nur verschwommen, als wenn in einem Film Details stark vergrößert werden. Aber da weiß man dann, wonach man Ausschau hält. Ich wußte es nicht. Nur eines: Die Türen waren geschlossen. Das Radio lief. An den Wagen heranzutreten wagte ich nicht. Er wirkte vollgeladen, als sei er von mindestens fünf Personen besetzt. Ich suchte die Gesichter, wenigstens zwei, ich konnte sie nicht voneinander unterscheiden. Sie waren eine Masse. Einmal drückte sich ein dunkler Kreis an die Scheibe, bestimmt das Haar meiner Freundin. Der Kreis wurde größer, ging auf, rotierte wie die Bürsten in der Autowaschanlage, wenn die Wassermassen runterstürzen. Der Kreis zog eine Spur hinter sich, die sich rasch wieder beschlug. Ich sah zwei ineinander verkrallte Hände und zwei spitze Ellbogen, alles so farblos, wie man sich Ertrunkene vorstellt. Dann ging das Licht aus, und ich nahm eine raschere Bewegung wahr. Die Scheibe ging ein Stück runter, meine Freundin öffnete die Tür, klappte Sitz und Körper nach vorn. Ich kletterte nach hinten. Ich war wütend auf sie. Meine Freundin packte ihr Haar und zog einen Gummi drum. Udo sagte, er müsse die Verspätung aufholen und blieb auf der linken Spur. Immer wieder wählte er eine Nummer und erreichte keinen. Später, als er uns an einer ins Leere blinkenden Ampel rausließ, hatte ich noch den Stein in der Hand. Warf ihn Udo hinterher. Meine Freundin weinte ein bißchen. Sie sagte, Versprich, daß keiner was erfährt. Ich versprach es. Das genügte nicht.

Schwör, sagte meine Freundin, bei deinem Leben. Kein Schwein. Nie und nirgends. Im Schein der Straßenlaterne hob ich drei Finger und sagte, Nur über meine Leiche, und es fiel mir nicht schwer.

GOLDENE NÄGEL

Vor mir stand ein kleiner Mann neben einer schwarzen Frau. Sie trug hohe Hacken und einen lindgrünen Minirock.

Es wird ihr wie mir gehen, dachte ich, sie wird frieren – im Wohnzimmer wird sie frieren, im Schlafzimmer, im Bad – wie ich, seit ich in diesem Haus war. Vielleicht könnten wir heimlich, wenn die Männer eingeschlafen waren, die Klimaanlage herunterdrehen. Bei vier Personen ist die Chance, daß zwei davon einschlafen, gar nicht so gering.

Der Mann, der jetzt leicht auf den Zehen wippte, war von uns allen der Kleinste, ich dachte, das würde er auch das ganze Wochenende bleiben. Er hatte in jeder Hand eine ausgebeulte Tasche – wie zwei Knollen hielt er sie von sich weg. Bestimmt war er einer von denen, die es gewohnt sind, zu schwer zu tragen, bestimmt kam ihm jedes angemessene Gewicht als zu gering vor. Die Schwarze schwang einen kleinen Rucksack von ihrem Rücken nach vorn und legte ihn auf dem Boden ab, während der Kleine die Taschen fallen ließ, so daß der Sand aufspritzte, den es auf die Stufen geweht hatte. Ohne Taschen in der Hand fiel ihm wohl ein, daß er seine Zigaretten im Wagen vergessen hatte, denn er hielt den Autoschlüssel in die Luft, an dem ein Anhänger baumelte, und sagte, Lea, und sie griff danach, als sei es der Schwanz einer toten Maus. Sie stieg in ihren roten spitzen Schuhen die Treppen wieder hinauf, und die Schuhe wirkten wie eine Verlängerung ihrer Beine. Sie war schwarz wie eine Nacht mit Sternen oder Kaffee mit Milch oder eine dunkle Rose hinter einem Fenster.

Habt ihr leicht hergefunden, sagte ich, und der Kleine sagte, er sei nach dem Navigator gefahren, und er gab zu, daß er sich sonst bestimmt verfahren hätte. In diesen Wäldern!

Ich war gestern mit seinem Freund hergekommen. Der Freund war gar nicht klein, er war groß, und da der Große das Haus bereits vor zwei Jahren gebaut hatte, fand er den Weg wie im Schlaf, auch das letzte Stück, auf dem schmale Straßen von schmalen Straßen abzweigten, bis man das Wasser sah. Daß er mich abholte, habe ihn, sagte er, als ich ins Auto stieg, fast eine Stunde gekostet, und – um das mit den Kosten hinter uns zu bringen –

fügte er hinzu, Bezahlt wird Sonntagabend. So sei es mit meinem Boss vereinbart.

Aber vorher, sagte er leiser, gibt's eine kleine Überraschung. Dann stellte er das Radio an, und wir hörten Oldies, während ich überlegte, wie alt er wohl sei. Als die Musik von einer Meldung über ein brennendes Schiff unterbrochen wurde, redete er wieder. Das Schiff brannte seit Tagen und trieb jetzt vor der Küste nach Südosten. Es hatte mehrere Tonnen Öl verloren und verlor jede Sekunde noch mehr, Schweröl – ein Teil des Teppichs hatte bereits die Küste erreicht. Gottseidank nicht meine Bucht, sagte der Große und schob eine Kassette ein. Links und rechts fing jetzt der Wald an, so ein Wald, der sich bis an die Horizonthügel erstreckt, eine dichte Decke, unter der es finster war.

Der Kleine streckte mir die Hand hin. Er trug ein blaues T-Shirt, auf dem eine Libelle abgebildet war. Er nannte leise seinen Namen, während seine Hand, näher an seinem Körper als an meinem, in der Luft stehenblieb. Ich nahm die Hand, sie war heiß und fett.

Von drinnen rief der Große, Was ist? Hat er sein Mädchen dabei? Wie ist sie?

Schön, rief ich, schön.

Schlank, rief er.

Ja, rief ich, schlank.

Laßt die Hitze nicht rein, rief er, und seine Stimme klang ein wenig aufgeregt, laßt bloß die Hitze nicht rein.

Ich hielt die Tür weit auf. Warme feuchte Luft, viel zu warm für die Jahreszeit, strömte mir ins Gesicht, während mein dem Flur zugewandter Rücken kalt blieb. Der Kleine schaute an mir vorbei durch die Tür, und als sei es eine unerhörte Neuigkeit, flüsterte er plötzlich, Ich seh dich im Spiegel, im Spiegel von hinten.

In diesem Moment traf ein Päckchen Marlboro den Kleinen am Ohr, und Lea, die es geworfen hatte, hob es vom Boden auf.

'tschuldigung, sagte sie, lachte, und als keiner reagierte, hob sie ihr rechtes Bein, nahm den Schuh vom Fuß und goß, indem sie sich so weit hinabbeugte, daß wir ihre kleinen Brüste sehen konnten, Sand aus dem Schuh.

Lea fror, sobald sie ins Zimmer kam. Wo die Ärmel ihres dünnen Shirts aufhörten, fing es an. Sie schien nicht gemacht für diesen Job. Sie schmiegte ihre Hände über die Ellbogen, als könne sie so vermeiden, daß die Gänsehaut sich ausbreite, während sie neben mir vor der Jalousie stand. Ich hielt mit Daumen und Zeigefinger die Lamellen gespreizt, und wir schauten abwechselnd zum Meer, wo Leute mit Stöcken den Strand entlang wanderten, auf irgendwelche dunkle Flecken im Sand einschlugen, die sie dann in die mitgebrachten Tüten packten. Lea sagte, Goldsucher, und ich sagte, So könnte man uns auch nennen.

Da sagte sie, Wie die Dame des Hauses siehst du nicht gerade aus. Und ich sagte, Du auch nicht. Und sie fing an, blöde Fragen zu stellen, bis sie erfuhr, daß ich mir hier durch Nettigkeiten mein Studium verdiente, und sie sagte, Na, dann bist du ja was Besseres, doch bevor ich etwas sagen konnte, kam der Kleine und zog uns zur Bar. Hinterm Tresen stand der Große und brach Eiswürfel, verteilte sie in die Gläser und goß Wodka ein.

Lea ist Schauspielerin, sagte der Kleine.

Klar, sagte der Große, klar, deine ist Schauspielerin und meine Ministerin. Sie hoben die Gläser, wir tranken. Lea verzog das Gesicht.

Habt ihr euch schon die Hand gegeben, sagte der Kleine und nickte Lea zu. Die Schöne hielt dem Großen, dann mir ihre dunkle Hand hin, die innen hell war, mit dunklen Verästelungen, als trüge sie im Handteller einen kleinen Baum herum. Als sie ihre Hand zurückzog, spürte ich eine Sekunde ihre Fingernägel auf meiner Haut.

'tschuldigung, sagte sie, und alle schauten auf ihre langen, golden lackierten Nägel.

Lea sagte, Wollen wir an den Strand? und sah dabei mich an. Vielleicht spürte sie, daß ich bis jetzt nur im Haus geblieben war, weil der Große nicht allein sein wollte, keine Sekunde lang wollte er am Wochenende allein sein.

An den Strand, lachte der Kleine.

Mein Kind, sagte der Große, die Saison ist vorbei. Was willst du am Strand?

Schwimmen, sagte ich.

Hast du nicht gehört: Der Strand ist verseucht, sagte der Kleine.

Hier nicht, sagte der Große.

Die Saison ist vorbei, sagte der Kleine.

Daß die Saison zu Ende ist, spielt keine Rolle, hätte ich dem Kleinen gern gesagt. In diesem Haus gibt es keine Tageszeiten und keine Jahreszeiten. Ich hatte schon in Betracht gezogen, daß man in diesem Haus auch nicht älter werden würde. Daß in diesem immergleichen Klima und Dämmerlicht die Zeit stillstünde. Aber das Gesicht des Großen war voller Fältchen, feine Fältchen zwar, denen anzusehen war, daß sie nicht von Salz und Sonne stammten, Fältchen wie Ablagen für Bürostaub.

Lea zog den Kleinen in die Mitte des Zimmers, fing an zu tanzen, und ihr Hemd glitt ihr langsam über eine Schulter, bis eine Brust zu sehen war. Der Kleine tanzte so, wie er die Taschen getragen hatte, er mutete sich zuviel zu. Immer wenn Lea ihre vielen Zöpfchen bündelte und in einem Schwung den Kopf nach hinten warf, dann steckte der Kleine seine Hände in diese Explosion, als hoffe er, daß sich Leas Geschmeidigkeit auf ihn übertrage. Dann kam er wieder an die Bar, wo der Große mit dem Flaschenhals unablässig über die Gläser fuhr.

Und jetzt, sagte der Große mit einem Blick auf mich, die Überraschung.

Auf dem Tisch lagen drei Päckchen: Lea griff spontan nach dem goldenen mit dem schwarzen Band. Es war zu hoch für Pralinen, für Brillanten zu groß, für Unterwäsche nicht weich genug. Es war das einzige, bei dem man nicht ahnte, was darin sein könnte.

Halt, sagte der Kleine, packte ihren Arm, und ich war froh, daß er mein Päckchen rechtzeitig vor Leas Zugriff schützte. Er lenkte sie zu zwei bunten Päckchen.

Die Männer schauten uns an. Sie schauten auf meine Finger, die das schwarze Band aufknoteten, und auf Leas goldene Nägel, die wie ein Messer das Papier aufritzten, und sie schauten auf unsere Gesichter, als seien es kleine Bühnen, auf denen sich gleich ihr Gott zeigen würde. Irgendwann hielt ich eine Bernsteinkette in den Händen, und der Große schloß sie gleich um meinen Hals. Ich versuchte zu strahlen, wie mein Boss mir das eingeschärft hatte, aber ich packe bei einem Geschenk immer auch die eigene Enttäuschung mit aus. Vor Lea stand eine Flasche Parfüm. Ihr Gesicht konnte ich nicht sehen, sie hielt einen roten Body davor. Doch durch die Spitzen im Schambereich sah ich ihre Augen funkeln, ich sah, wie sie wütend auf die halbwegs gelösten Männer blickte und auf mich. Später ließ sie sich von dem Kleinen, der sich den roten Body über den Arm gelegt hatte, aus dem Zimmer führen, schön und traurig wie eine Sklavin.

Der Große wartete im Schlafzimmer auf mich. Er war kühl. Er war kühl. Er war wie ein Tier, das keine Sonne verträgt. Er war wie ein Vampir. Er war auf der Flucht vor der Sonne. Er war so hell, als stamme er aus einer anderen Jahreszeit, als sei er nicht reif für Sonne und Strand, und ich dachte, das Wochenende reicht dem Besitzer nicht aus, sich seinem Besitz anzupassen. Frisch eingecremt lag er unterm Laken. Er ließ mich ein in seinen Sarg. Ich war nackt. Er verlangte, daß ich nackt sei. Damit ich nackt sei. Es war mir recht, daß er mir den Rücken zudrehte. Er hatte seine Brille abgenommen, und seine Augen waren plötzlich so privat, daß ich sie nicht sehen wollte. Er wollte nicht allein sein, ich wollte sein Geld, das war unser Abkommen. Er durfte mich nicht anrühren, ich durfte ihn nicht verlassen: daß ihm das gelang, dafür tat er mir leid. Als ich ihm nahe kam, so nahe, wie er das wünschte, entstand nichts, was uns hätte fortreißen können, höchstens eine Behutsamkeit, die uns voreinander schützte. Wir lagen wie zwei Fische im Satinbett, zwei Sardellen vielleicht, denen das Wasser ausgegangen war. Er sagte, wenn meine Finger auf ihm spazierengingen, wäre das eine Hilfe – ich half ihm gern. Und dann dehnte er die Minute vor dem Einschlafen aus mit Geschichten – Allergie-Geschichten, Unverträglichkeitsgeschichten, Pigment- und UV-Strahlen-Geschichten und Hautkrebs-Geschichten. Er sprach sie leise wie ein Gebet vor sich hin, während ich auf seinen Nacken schaute, der aus dieser Nähe die Farbe einer rosa Katzenschnauze hatte. Ich streichelte ihn durch seinen grauen Hausanzug, bis er einschlief. Dann blieb ich hinter ihm liegen und begann, meine Nägel nach Leas Vorbild zu feilen. Später steckte ich eine Hand unter das Hemd des Großen und testete, ohne ihn aufzuwecken, die frischgefeilten Nägel auf seiner Haut. Von Lea und dem Kleinen war nichts zu hören, kein Lachen und kein Schreien, und die Stille war das Signal, dem ich folgte.

Lea stand am Wasser, das grau war und träge, eine glatte Fläche. Ihre Schuhe hatte sie ausgezogen, benutzte die Hacken als Griffe, hielt den einen Schuh hoch in der Luft, als laure sie auf einen Fisch. Vor ihr hob sich ein schwarzer Klumpen aus dem nassen Sand, wie um zu winken und sank wieder, mühte sich vorwärtszukommen, kam nicht vom Fleck, blieb angewiesen auf die Wellen, die ihn angespült hatten. Lea bückte sich, sagte, Ich schaff's nicht, und zog den Vogel ins Trockene, wo er versuchte, die Flügel auszubreiten. Lea streckte mir ihre ölverschmierte Hand hin, sagte, Guck dich mal um. Nach 'nem Stück Holz. Sie rannte vom Wasser weg. Der Strand war übersät mit schwarzen Klumpen, die noch lebten.

Lea legte sich in den trockenen Sand. Scheiße, rief sie, zog sich das Hemd über den Kopf, wälzte sich, warf Sand in alle Richtungen, und der Wind trug ihn zu mir. Ich sagte, Hör auf, und sie drehte sich auf den Bauch. Sie spreizte ihre langen Finger und begann zu weinen. Ich sah, daß an ihrer rechten, schwarzbefleckten Hand am Mittelfinger der Nagel fehlte. Als sie ruhig liegenblieb, rieb ich ihren schmalen Rücken mit Sonnenöl ein, bis die Luft so stark nach Cocos roch, daß ich das Gefühl hatte, wir seien in einem geschlossenen Raum.

Wieviel kriegst du fürs Wochenende, sagte Lea.

Fünf, sagte ich, und du.

Mit oder ohne, sagte sie.

Ohne, sagte ich.

Ich fünf mit, sagte sie. Und dem Onkel fällt nichts Besseres ein als Parfüm und 'n Body. Mehr Arbeit, weniger Geld. Das Parfüm krieg ich los, aber dieses Teil …

Wieso nicht, sagte ich und setzte mich neben sie.

Ich hab's dem Onkel vorführen müssen. Dann blieb sie eine Weile still.

Gewaschen vielleicht, sagte ich, Originalverpackt, und dabei siebte ich Sand mit den Händen, ließ ihn auf die Schenkel rieseln. Sie gab mir keine Antwort.

In meiner Hand hatte sich etwas verfangen, das kein Sandkorn war. Als ich sie öffnete, lag da ein goldener Fingernagel.

Lea sagte gerade, So 'ne Kette ist was anderes. 'ner Kette siehst du nichts an.

Mein Gott, sagte ich, Wenn ich könnte, würd' ich dir helfen.

Darf ich mal. Sie berührte die Bernsteinkette.

Ich bot ihr meinen Nacken und spürte, wie sie mit den Nägeln den Verschluß öffnete. Lea schaute an den Perlen entlang, und mein Blick folgte dem ihren – Perle für Perle. Es gab trübe und klare Perlen, aus der Nähe betrachtet sahen sie alle aus wie kleine Eier in der Farbe von Waldhonig über Kastanien- bis zu Akazien- oder Rapshonig. Da führte Lea die Kette zum Mund, schob sie zwischen die Lippen und biß zu. Ich hörte ein Geräusch, das mich an meine Katze erinnerte, wenn sie einen Mäuseschädel zerkaut, und ich sagte, Hör auf, nein, ich schrie es. Ich griff nach der Kette, Lea streckte bloß ihren langen Arm, und die Kette baumelte daran und verschwand in ihrem Rucksack.

Echt Bernstein, sagte sie und fuhr mit der Zunge über ihre Zähne.

So ein Unsinn, sagte ich, und: Sie gehört mir, und: Was willst du. Ich wollte alles auf einmal sagen, wie eine blöde Mutti oder eine alte Frau, die ein junges Mädchen beschimpft.

Teilen, sagte Lea.

Tauschen, schrie ich.

Gegen was. Du hast nichts, sagte sie, Pech.

Ja, sagte ich, Pech, öffnete blitzschnell die Hand mit dem Fingernagel und schloß sie wieder.

Da stand Lea schon, sie war auch ohne Schuhe eine Riesin, nahm ihren Rucksack zwischen die Schenkel, suchte etwas. Ich sah aufs Meer hinaus, sah die Trennlinie zwischen Himmel und Wasser und überlegte, welchem Element sie wohl zuzuordnen sei, bis Lea mir ein Plastiktütchen vor die Nase hielt. Es war gefüllt mit goldenen Fingernägeln, Reservenägel – aneinandergeschmiegte kleine Nagel-Prothesen. Lea ließ das Tütchen in den Rucksack fallen, wie man eine Münze in ein Sparschwein wirft, und sprang Richtung Haus davon.

Vor mir bewegte sich jäh der Vogel. Er hob den einen Flügel, Sand rieselte herab, er war jetzt paniert mit Sand, der am Öl klebte, er schaffte es nicht, sich aufzurichten.

Als ich ihn mit dem Stock antippte, löste ich noch einmal eine Kaskade von ziellosen Bewegungen aus. Es schien, als wisse er nicht mehr, wo oben und unten war. Ich holte aus. Viermal mußte ich ausholen, und erst beim vierten Schlag gelang, was ich beabsichtigt hatte.

WENN SIE MICH ANSCHAUEN, WISSEN SIE ES

Jede von uns hat eine Leine in der Hand. Die Hunde pinkeln immer an dieselben Stellen. Billi erst, dann Nicki. Am Eingang zur Tierklinik heben sie die Beine zum letzten Mal. Pia küßt beide auf die Schnauze und reicht sie dann der Sprechstundenhilfe über die Theke. Die Hunde legen die Ohren an und sehen jämmerlich aus, als wüßten sie, was ihnen blüht.

Jetzt schnell was zu sich nehmen und dann schauen, ob sie überlebt haben. Durch das Taxifenster sehen wir schon den Mond, obwohl es erst Nachmittag ist. Sonst fahren wir immer U-Bahn, aber heute ist eine Ausnahme. Pia schreit den Fahrer an, er soll endlich halten. Sie ist nervös, nicht nur der Hunde wegen. Vorgestern hat sie mit Sandra Schluß gemacht. (Sandra verlangte, daß Pia ihre Brustwarzen drücken solle, bis sie bluten. Pia: Das kann ich nicht! Sandra: Es sind meine Brustwarzen! Pia: Das ist pervers! Sandra: Wir leben in einem freien Land!)

Das Gebäude liegt an der Schiffsanlegestelle. Es sieht selbst wie ein Schiff aus. Aber es ist eine gigantische Garage, in der die Leute, die mit dem Schiff den Fluß entlangfahren wollen, ihre Autos abstellen. In der äußersten Spitze liegt das Restaurant, lang wie ein Sportplatz und hoch wie eine gothische Kirche.

Wir sind die ersten. Die vielen Kellner und Bedienungen stehen am Eingang herum, alle in blauen Uniformen, weißen Hemden, dazu gestreifte Käppchen. Eine langhaarige Chinesin führt uns zu unserem Platz. Etwas abseits, neben der Kasse, steht ein junger dunkelhäutiger Mann mit Schnurrbart. Sein Anzug ist ihm viel zu groß. Er schaut zu mir herüber – vielleicht so, wie ich von meiner Schlafcouch auf den Mond schaue, wenn er hinter der Fabrik gegenüber aufgeht und ich mich frage, ob er allen Kontinenten dasselbe Gesicht zeigt, oder ob er, sagen wir, in Europa einen anderen Ausdruck hat.

Von den vordersten Tischreihen aus sieht man auf den Fluß, der irgendwo ganz in der Nähe ins Meer mündet. Die Sonne, ein cadmiumfarbenes Flämmchen, entzündet alles, was sonst weiß ist, Schiffe, Möwen, Servietten. Aber Pias Gesicht ist rot vom Weinen.

Als ich vor ein paar Tagen mit meinen prallvollen Plastiktüten ankam, saß sie rauchend in ihrem Bett. Der

Geruch von Hundepisse wehte mir entgegen. Pias frische Dauerwelle kam mir viel zu neu und jung vor für die restliche Pia. Eine Fremde war ich nicht mehr für die Hunde, aber sie bellten, wie immer, wenn sie in die Käfige gesperrt sind. Sie bellten, bis ich ihnen meine Hände hinhielt. Pia legte ihre kulinarischen Kritiken kurz beiseite und sagte, da ich in den nächsten Tagen bei ihr bliebe, könnte ich ihr helfen, die Wohnung umzukrempeln.

Unsere Bedienung, eine Rothaarige, leiert die Tageskarte runter: frische Fische aus allen Meeren der Welt.

Ich lasse mich auf einen Karibikfisch ein, aber Pia sagt, Fisch – das hab ich gestern den Hunden gefüttert: die liegen jetzt schlaff herum, die Zungen hängen ihnen aus den Mäulern, der Fisch kommt ihnen wieder hoch ... kein Fisch.

Die Hummer auf der Karte sind ihr nicht schwer genug. Die Bedienung fragt in der Küche nach größeren.

Allmählich füllt sich das Lokal. Neben uns hat sich eine Gruppe Japaner niedergelassen, alle in sandfarbenen Hosen und hellen Jacken.

Vor dem Hauptgericht bestellen wir das Buffet: auf einem Plastik-Karren in Eis gegrabene Schalen voller Krebse, Krabben, Langusten, Muscheln und Salate. Pia trägt Austernhälften und Krebse herbei. Vergiß den Zitronentest nicht, sage ich und habe noch nicht ausgesprochen, da hat sie das Muschelfleisch schon zwischen den Zähnen.

Der gegliederte Krebspanzer in meiner Hand scheint mit Perforationslinien gekennzeichnet zu sein, mit einem Code, den ich nicht entziffern kann. Pia klopft die Schale ab, als suche sie nach der Aufschrift »Hier öffnen«. Aus den Krebsteilen tropft es. Pia verlangt neue Teller von der Bedienung.

Ich darf Ihnen keine frischen Teller geben, sagt die Bedienung. Pia schickt sie zum Manager, um den Grund dafür herauszufinden.

Lenk mich ab, sagt sie dann. Ich habe die Hunde geopfert. Hast du gesehen, wie sie geschaut haben?

Du wolltest die Hunde aus den Käfigen befreien, sage ich.

Wer lebt schon gern mit Gefangenen, sagt Pia. Erzähl mir lieber von John, sagt sie. Er hat dir auch weh getan.

Er hat immer nur davon geredet, sage ich, Stundenlang hat er mir erzählt, wie er mich schlagen will.

Keine Angst, sagt Pia. Er wird keine Gelegenheit mehr haben. Bei mir bist du sicher. Schlagen ist sowieso sinnlos. Das weiß ich von den Hunden. Schlagen ist sinnlos. Nase reintunken auch … Der Tierarzt sagt, operieren sei das beste … Die Pfläumchen werden herausgeschält und am Abend kann man die Hunde abholen, und sie sind wie neu.

Sie steckt sich eine an, und der Rauch von Pias Zigarette steigt kerzengerade in die Höhe.

Hoffentlich kennen sie uns noch, sage ich.

Mich auf jeden Fall, sagt Pia. Sie haben wirklich Grund, mich zu hassen. In diesem Moment beginnt am Nebentisch das Hämmern und Knacken. Die Japaner haben in ihrer Mitte einen Berg Krebse angehäuft. Sie langen zu, tragen ihn ab wie Möwen, meißeln geschickt wie Baumeister die harten Panzer auf; mit kleinen Stahlzangen knacken sie die Scheren, ziehen mit den Gäbelchen weißes Fleisch heraus; sie lutschen die Beine aus; auf dem Tisch wachsen wie eine neue Speise schöne Häufchen aus harten und weichen Krebsfetzchen, gräulich weiße, glänzende, leise zitternde Häufchen.

Die Bedienung ist wieder da: sie könne uns keine frischen Teller bringen, sagt sie, das sei organisatorisch nicht möglich. Pia verlangt den Manager. Die Bedienung stellt mir meinen Fisch hin. Pia schaut rasch weg. Dein gekräuseltes Haar ist eine Masse, ist ein sanft ansteigender Berg, flüstre ich ihr zu, Der mich an einen antiken Kämpfer denken läßt. Aber sie hört mich nicht.

Den Hummer und den Manager bitte, sagt sie und sieht, um nicht auf den Fisch schauen zu müssen, der Bedienung nach.

Fang an, sagt Pia, Es wird kalt.

Dann dreht sie sich wieder zu mir, steckt die Zigarette in den Mund, kneift die Augen zusammen, und mit sehr langsamen, konzentrierten Bewegungen, so, als schreibe sie ihren Namen rückwärts, beginnt sie, sich die Hummerserviette umzubinden, dabei hebt sie mit den Handrücken ihre Haarmasse an wie ein Dach. Die Bedienung steht neben der Kasse im Gespräch mit dem schmalen dunklen Mann. Mit ihrem ausgestreckten Arm lenkt sie seine Blicke auf uns, als seien es Pfeile. Ich sehe, wie der Anzug auf unseren Tisch zugeschlottert kommt.

Sie wollten neue Teller, sagt der Manager. Leider nicht möglich. Verwaltungstechnische Gründe, tut mir leid. Die sehr eng um Pias zierlichen Hals gebundene Serviette verleiht Pias Protest unbeabsichtigten Nachdruck. Ohne Zweifel ist man ihr etwas schuldig geblieben. Dabei bleibt es, und ich befürchte, daß die angeschlagene Pia plötzlich umkippen könnte wie ein leckes Kriegsschiff.

Aus einer Tür kommt ein schwarzer Mann. Er hat eine weiße Schürze umgebunden. Er trägt auf einer Platte einen riesigen Hummer, der leuchtet, als sei die Sonne noch nicht untergegangen. Der Schwarze kommt an unseren Tisch. Hattet ihr Hummer bestellt?

Ja, sagt Pia und schaut das Tier auf dem Teller an. Ein Gigant, sagt der Schwarze und stellt ihr den Teller hin. Bevor er geht, dreht er sich nochmal um. Noch Wünsche?, sagt er.

Pia sagt, sie sehe an der Farbe, daß der Gigant gekocht sei. Sie habe ihn aber gegrillt gewollt.

Aber klar, dieser Hummer ist gekocht, ganz klar, sagt der Schwarze. Gegrillt also? Tut mir leid. Er nimmt den Teller wieder zurück, schaut sich suchend im Lokal um.

Wie sieht eure Bedienung aus? sagt der Schwarze.

Pia beschreibt sie. Der Schwarze grinst.

Ich tu was ich kann, sagt er und verschwindet mit dem Teller in der Tür hinter der Bar.

Gekocht werden sie bei lebendigem Leib, sage ich. Und gegrillt?

Pia will etwas sagen, aber die Bedienung kehrt zurück, um meinen leeren Teller abzuräumen. Pia erklärt ihr, daß der Herr aus der Küche den gekochten Hummer wieder mitgenommen habe. Die Bedienung zieht bestürzt einen Stoß Zettel aus der Tasche. Flippt durch, findet den richtigen.

Ja, klar. Ich werd mich drum kümmern. Welcher Herr war es?

Der schwarze.

Wie schwarz? sagt die Bedienung.

Violett, sagt Pia. Übrigens habe ich keine Lust mehr zu warten.

Am Nebentisch haben die Japaner das Essen beendet. Sie stellen sich in einer Schlange vor der Kasse auf.

Einen Moment, sagt die Bedienung.

Pias Brille ist leicht beschlagen. Pia wirkt bleich, als habe die Nacht ihr alle Farbe aus dem Gesicht geleckt. Sie ruft der Bedienung nach, Sagen Sie ihm, ich nehme ihn doch. Ein paar Japaner drehen sich um.

Dann schauen wir aufs Wasser hinaus, das blaß geworden ist, blaß und bläulich wie der Himmel.

Die Hunde, sagt Pia, Haben's jetzt hinter sich.

Plötzlich steht der Schwarze wieder am Tisch.

Zweiter Versuch, sagt er und stellt ihr einen neuen Hummer hin.

Wo ist der andere? sagt Pia.

Dieser ist gegrillt, sagt der Schwarze, Hier bitte.

Ich hätte den anderen gegessen, aber Sie haben mich ja nicht gefragt, sagt Pia.

Tut mir leid, sagt der Schwarze, bevor er geht.

Verschwendung, sagt Pia, hebt die zersägte Schale und beginnt die Füllung herauszulöffeln.

Als wir in der Schlange vor der Kasse stehen, schaut der Manager herüber.

Alles in Ordnung, meine Damen? Uns sind Fehler unterlaufen. Der Manager stellt sich zu uns, breitet seine Arme aus, als wolle er uns schützen oder zusammentreiben und entschuldigt sich nochmals für den Vorfall.

Und das mit den Tellern vorhin, das verstehen Sie hoffentlich, meine Damen. Wissen Sie, es kommen immer wieder solche Leute hierher. Ich möchte ja nicht sagen, welche Leute ich meine. Ich meine, das wissen Sie ja wahrscheinlich ...

Nein, unterbricht ihn Pia. Was für Leute?

Er sieht mich hilfesuchend an.

Sie wissen, wen ich meine. Es auszusprechen wäre nicht korrekt. Ich kann es nicht sagen. Wissen Sie, wen ich meine? Nicht Leute wie Sie z. B. ...

Was tun diese Leute? sage ich.

Sie kommen in Gruppen, zu viert, zu acht, sie bestellen zweimal das Buffet. Und dann teilen sie. Das ist nicht Sinn eines solchen Buffets, Sie verstehen, meine Damen.

Ach so, sage ich. Und wer sind diese Leute?

Das darf ich nicht sagen, sagt er. Überlegen Sie, Leute wie ich z. B., sagt er, Mehr kann ich nicht sagen. Sie sind anders. Sie kommen woanders her, verstehen Sie. Da herrschen andere Sitten, mehr darf ich nicht sagen, wenn Sie mich anschauen, wissen Sie es ...

Die Hunde holen wir mit dem Taxi, obwohl sie schon wieder gehen können. Sie taumeln ein bißchen, aber sie lassen sich an der Leine vom Lift in die Wohnung führen. Pia legt sie in die Käfige und öffnet die Fenster. Die rasierten Bäuche schimmern himbeerrot hinter den Gitterstäben hervor. Zwischen den Hinterbeinen hat jeder ein kleines sauberes Pflaster. Sie haben auch mich wiedererkannt. Sie sind noch immer die alten, vielleicht auch nicht. Es wurde etwas herausgelöscht aus ihnen, vielleicht merken wir es nur noch nicht. Sie sind erschöpft, sie schlafen sofort ein, als hätten sie eine lange Reise hinter sich.

EINE GESCHICHTE WILL ICH MIR NICHT ANHÖREN

Blut sehen macht mir nichts aus. Es ist so eindeutig wie Sand oder Erde. Blut aber auf weiße Kacheln tropfend, und mir wird schlecht. Toi, toi, toi, sagte ich deshalb zu Polly vor der Tür zum Gebärraum. Gleich hast du alles hinter dir. Dann ist dieser schreckliche letzte Sommer endgültig vorbei. Über ihre Schulter hinweg sah ich ins Zimmer: Doppelbett, Gebärschemelchen, Vorhänge. Gedämpftes Licht. Blumenbilder an den gekachelten Wänden. Paradiesische Hebammen, bemüht, die Klinik wie in einem Uterus verschwinden zu lassen.

Ich blieb im Flur sitzen. Vor der fliederfarbenen Tür mit dem Handyverbotsschild, hinter der Polly endlich entband. Plüschtiere und Puppen bildeten einen Kreis um mich, ihre Ärmchen ausgestreckt wie Talkshow-Publikum, bereit zum Applaus auf Zeichen. Vor jeder Tür Schnittblumen in Vasen, als sei dieser Gang der Wallfahrtsort irgendeiner Heiligen. Und dann zerschnitt Tom diese Stille. Ich hatte ihn lange nicht gesehen, und soviel ich wußte, mied ihn auch Polly. Seine (aus der Ferne) jugendliche Gestalt erkannte ich sofort. Schwarze Lederjacke und das Klacken der eisenbeschlagenen Boots auf dem Klinikboden. Tom rannte. Er las an den Türen die Nummern, er klopfte, er blieb stehen, er riß Türen auf und ließ sie offen hinter sich. Er rannte an mir vorbei, sah er mich nicht?, verschwand im Gebärraum. Kurz darauf begann Polly zu schreien. Ein leises Jammern zuerst, dann ein aus der Brust gestoßener, langer Ton, wie der einer rolligen Katze, fordernder, zäh wie Lava oder wie wenn das Märchen vom überkochenden Brei kulminiert. Sie hörte nicht mehr auf. So hätte sie letzten Sommer schreien sollen. Als Tom sie zum Nichts gemacht hatte. Damals rief sie mich täglich an. Gleichgültig, was sie sagte, ich hörte in ihrer Stimme immer nur: Tom quält mich, ich will weg. Tom ist wie er ist. Vielleicht ein Granit, aber vergänglich. Als Polly auf einmal wochenlang nur noch schwieg, wußte ich, daß die Sache mit Tom sich zuspitzte. Sie hing am Hörer, sagte keinen Ton. Wer aber wäre ich, wenn ich nicht wenigstens versucht hätte, meine Polly zu erlösen. Ich redete und redete für sie: Ich traf einen Jungen namens Bassam, sagte ich ihr zum Beispiel. Schnelle Autos können ihm den Kopf verdrehen. Schnelle Musik, schnelle Pferde, Raketenstarts im Fernsehen, die neuesten Updates. Immer will er der

Erste sein und alles, was er tut, tut er jäh. Er will auf die Schauspielschule (wie ich). Tempo, sagt er, Tempo, wenn ich Penthesilea probe. Du mußt ein Pfeil sein. Ich glaube, ich weiß, was er meint. Ein Pfeil. Wahrscheinlich redet er so, weil er selber immer daneben trifft. Bassam trinkt jeden Abend roten Tee. Seit ich Bassam kenne, trinke ich auch manchmal roten Tee. Ich traf Bassam im Treppenaufgang der Schule. Wir sind am selben Tag durch die Aufnahmeprüfung gefallen. Bassam steht plötzlich zwischen mir und der Japanerin. In der linken Hand zwei Plastiktüten, so schwer, daß er ganz schief geht. Ich höre, wie er zu der Japanerin sagt: Du bist durchgefallen. Er sagt es freundlich und mit seinem harten Akzent. Aber dann dreht er sich zu mir und sagt es nochmal. Das nächste, an das ich mich erinnere: Ich folge der Japanerin. Im Café quetsche ich mich zwischen Reihen von Stühlen und Tischen durch, die sie, die Japanerin, mühelos passiert. Schmal ist sie, und ihr Pferdeschwanz wippt wie bei einem Kind. Vielleicht ist ihr, wie mir, die Stimme weggeblieben, als es drauf ankam. Ich war wie eine Manege im Trommelwirbel, und die Hauptdarstellerin erscheint nicht. Umsonst, der Streß. Wieder kein Beginn, keine Rechtfertigung des letzten Jahres. Du kennst dieses riesengroße Café, sagte ich zu Polly, wo man nie bemerkt wird, ob voll oder nicht. Die Karte eine Liste verlockender Photos – Eistorten mit Sahneschnörkeln und grellen Kirschen. Bassam hat die Tüten an der Garderobe abgestellt und redet von einer Filmrolle – ich höre nicht hin. Die Japanerin auch nicht. Ihr Gesicht ist ein weißes Netz, in dem sich Augen und Mund wie kleine Fische verfangen haben. Ihr Haar reicht an ihrem kurzen Top vorbei bis zu ihrem Nabel. Ich brauch' 'n Coach, sagt sie, und Bassam schreibt ihr die Nummer der Volkshochschule auf. Ich sehe, daß er auch seine eigene Nummer notiert.

Mir ist selten klar, was ich von einem Menschen denke, wenn ich ihm gegenübersitze. Aber in diesem Moment weiß ich genau, was ich von Bassam denke: Ich denke, dieser Araber sucht eine für sein Unglück. Jetzt, sagte ich zu Polly, ist mir überhaupt nicht mehr klar, wie ich das denken konnte. Ich denke, der hat sein ganzes Hab und Gut in dieser Tüte, die jetzt unbewacht an der Garderobe steht. (Hier spätestens hätte Polly normalerweise protestiert. Ausländer genießen ihren bedingungslosen Schutz. Diesmal kein Wort. Es mußte ihr wirklich schlechtgehen. Also erzählte ich weiter.) Kaum ist die Japanerin weg, komme ich mir nur noch verloren vor. Ich glaube, ich bleibe nur, weil Bassam mit seinem mageren Körper und seinem hoffnungslosen Akzent mir noch verlorener vorkommt als ich mir selbst. Übertrifft sein Unglück meines? Ich kann wenigstens eisern sein. Denk an die letzten Monate: jeden Morgen Arbeit am Text, jede Nacht in der Bar. Doch an diesem Mittwoch ist die Kette aus Tagen gerissen. Ich bleibe sitzen. Rauche. Sehe die Torte zu einem braunen Bild mit weißen Schlieren schmelzen. Höre Bassam sagen, Die nächste Aufnahmeprüfung ist im Oktober. Spüre seine Hand auf meinem Knie und sage, Ich bin über dreißig. Wie alt genau? Aber da verrat ich nichts. (Hier hörte ich Polly einmal tief schnaufen, möglicherweise eine winzige Verbesserung ihres Zustands? Schon darüber war ich froh.) Bassam folgt mir zur U-Bahn. Schleppt seine alten Tüten, gegen den Wind, bis in meine Wohnung. Zum ersten Mal in meinem Leben trinke ich roten Tee …

Aber da unterbrach mich Polly plötzlich, He, Tom kommt nach Hause. Ich habe keine Zeit mehr. Tom hat auch keine. Nicht mal unser Kind hat Zeit.

Es war ein Gespräch mit einem fernen Planeten. Dort sind Kinder und Meerschweinchen berufstätig und gehen Kinder- und Meerschweinchenberufen nach. Wir legten auf. Mir war, als hätte Polly mich im Kühlschrank verstaut. So wie sie früher, als wir zusammen wohnten, immer alles, was für den Moment zuviel war, in Plastikboxen im Eisfach stapelte. Ihr Problem, daß sie aufgelegt hatte. Probleme, die nicht zur Sprache kommen, sind keine oder lösen sich von selbst. In meinem Kopf stapelte sich jetzt, was ich ihr gerne noch erzählt hätte.

Bassam, vor dem Stromzähler im Flur. Sieht dem Rädchen zu, das sich dreht und dreht. Er sagt, Hast du eine Rasierklinge. Nein, sage ich. In dieser Nacht schlafen Bassam und ich miteinander, was ich für gut halte. So werden sich die Dinge nicht vertiefen. Mittendrin ruft Tom an. Seine traurige Stimme auf meinem Band, offenbar hat Polly ihm erzählt, daß ich durchgerasselt bin. Und Tom sagt, Bald meine Liebe … kommt deine Zeit … Den Rest höre ich nicht, da Bassam plötzlich einen so lauten Schrei ausstößt, daß ich im ersten Moment glaube, ich habe etwas falsch gemacht.

Am Abend darauf, erinnere ich mich, überraschte ich Tom vor meiner Haustür. Ein graues, altes Haus mit rauhem Putz und knallblauen Briefkästen. Tom, schwarz gekleidet wie ein Priester, steckte gerade ein Zettelchen in meinen Kasten. Vier Selbstportraits,

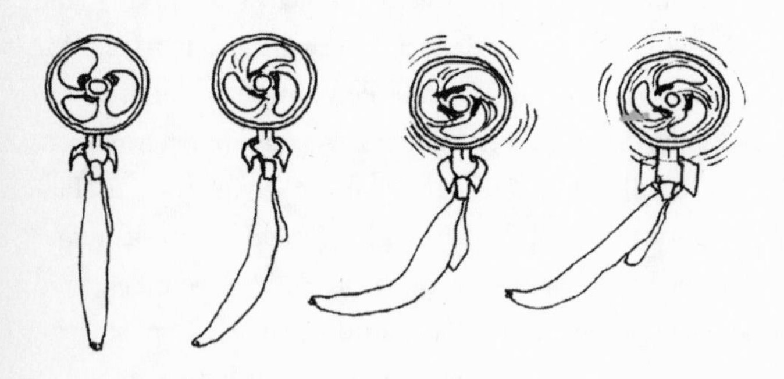

darunter stand, Ich bin dein Fan. Du brauchst jetzt dringend gute Photos.

Er bot an, mich sofort zu knipsen. Ich zog ihn in die Toreinfahrt. Wir lehnten an den Mülltonnen und knutschten. Dann fiel ihm ein, daß Polly wartete, und er ging.

Sonntag abend stand ich wieder hinter der Theke. Vor Pollys Anrufen war ich auch hier nicht mehr sicher. Kurz vor Feierabend sitzt Bassam an der Theke, erzählte ich ihr. Kleine Stirn und eine Nase, die schroff in seinem Gesicht steht wie ein Märchengebirge; rote Jacke, Jeans. Er ist mager wie ein Windhund und braun wie ein trokkener Ast. Ich kann jederzeit meinen Blick auf ihm ausruhen. Er redet dauernd von der Wüste. Von einem Auto. Ich sage, Wenn du ein Bett für die Nacht suchst, kriegst du meine Gästematratze. Aber deine Geschichte hör ich mir nicht an. Ich will schlafen. Er versucht es den ganzen Heimweg, aber ich lasse ihn die Geschichte nicht erzählen. Seine Plastiktüten sind inzwischen so ausgebeult, daß sie beim Gehen den Boden streifen.

Die Matratze lege ich neben das Sofa. Da Bassam am nächsten Abend wiederkommt und am übernächsten, und immer wiederkommt, wird die Matratze eine Insel und er ihr ganzes Volk. Er stört mich nicht, solange er auf seiner Insel liegt. Ich stehe am Strand des Wohnzimmerteppichs, konzentriert auf das Atmen, auf das Ungeheuerliche, das meine Stimmlehrerin meine Mitte nennt, auf die Erwartung, daß sie sich öffnen wird, auf die Vorstellung, was aus ihr herausbrechen könnte, auf meine eigene Stimme und auf die einiger berühmter Frauen, von denen mir Penthesilea die liebste ist. Ihre Sätze ziehen mir durch den Kopf, auch wenn ich sie nicht laut ausspreche. Ich bitte dich, Geliebte, ruf ihn her, Du stehst mir, wie Maienfrost, zur Seite, Und hemmst der Freude junges Leben mir …

Nach unserem Telefonat hackte ich im Techno-Takt Zitronen und schnitt mir dabei in die Fingerkuppe. Ich klebte ein Pflaster auf die Wunde. Auch die Tage würden bald kürzer werden.

Eines Abends, Tom rasierte sich gerade, baute ich auf seinen Vorschlag hin einen Dschungel. Ich schob meine Palme und alle anderen Zimmerpflanzen hinters Sofa. Ich zog das Kleid mit den schmalsten Trägern an. Tom schraubte Tageslichtfilter an die Lampen. Er schaute durch die Kamera auf mich und sagte, Weißt du, Polly liebe ich wie eine Schwester. Ich zwang mich, ins Objektiv zu schauen und sagte, Ich liebe Polly auch wie eine Schwester. Er stellte scharf und sagte, Wenn Polly wüßte, würde sie sich für deine Schwesternliebe bedanken. Ich lächelte und sagte, Warum erzählst du Polly nichts. Schärfer als scharf geht nicht, sagte er und winkte, Polly ahnt es ohnehin. Dann drückte er ab und sagte: Zwischen uns ist Krieg. Zwei Wochen später fuhr er mit Polly und dem Kind nach Griechenland.

Polly wirkte immer verzweifelter. Sie rief an und fragte sofort nach Bassam. Also erzählte ich von ihm, vorsichtig, um nichts zu verraten.

Es ist der längste Tag des Jahres, sagte ich. Bassam bringt seinen Freund mit. Der ist klein und stämmig, und Bassam nennt ihn Kollege. Der Kollege arbeitet in einer Schokoladenfabrik. Ich komme spät in der Nacht aus der Bar, da sitzen sie ohne Shirts auf meinem Sofa. TV-Licht flackert auf ihrer Haut wie ein Lagerfeuer. Bassam schiebt seine Insel zur Seite. Wir tanzen auf dem Teppich. Der Kollege füllt so ziemlich das Zimmer. Langsam tritt er von einem Bein aufs andere. Bassams Arme überschneiden sich zu immer neuen Wellen in der Luft (wie Brancusis unendliche Säule, sagte ich zu Polly, sie mag Brancusi). Ich imitiere Bassam. In meiner Wohnung wird es in jener Nacht nicht dunkel – der Kollege kann auf das Lagerfeuer nicht verzichten. Einer nach dem andern fallen wir auf Bassams Insel. Drei Marionetten, verknäult durch die eigenen Fäden ... (Hier brach ich ab. He, hätte eine Polly in guter Verfassung gesagt. Die Fickgeschichte, laß bloß die Fickgeschichte nicht weg. Aber heute sagte sie nur, Und weiter?) Ich sagte, Der Kollege will geleckt werden. Nähert sich mir. Er will es aber so dringend, daß er meinen Mund nicht mehr erreicht, verstehst du? Ja, sagte Polly sehr leise. Ich stell's mir vor. Ich beneide dich. Ich erzählte weiter. Bassam verläßt seitdem seine Insel nicht mehr. Und eigentlich gefällt es mir, sagte ich, denn er gähnt viel, und sein Gähnen scheint die Stunden zu dehnen. Wer auf Kommando schreien kann, schafft jede Prüfung, kriege ich immer zu hören. Dann schlägt er das Laken zurück und führt meine Hand zu seinem flachen Bauch. Die Hand hebt und senkt sich mit seinem Atem. Er stößt einen Schrei aus, und sein Bauch federt wie ein Trampolin. Keine Ahnung, wo Bassam ist, wenn nicht auf seiner Insel. Vielleicht tanzen oder im Café, in der Moschee oder beim Kollegen. Ich will es gar nicht wissen. Import-Export, auch das höre ich oft, Import-Export. Wenn Bassam über Nacht weg bleibt, erzählte ich Polly, stelle ich mir vor, er sei in sein Land zurückgekehrt. Davon kenne ich nur, was Bassam auf dem Tisch liegen läßt: eine kleine, durchlöcherte Messinglaterne, mehrere Postkarten mit Kamelen, Moscheen und Pyramiden, alle unscharf, Pixel wie ein Puzzle, sagte ich. Sie lösen sich auf in bunte Pünktchen, als gebe es die Kamele, die Moscheen und die Pyramiden auf dem Photo nicht. Als seien sie nichts als eine sekundenlang andauernde Formation von farbigen Pünktchen zu einer Erscheinung gewesen, vergänglich, beliebig, austauschbar.

Vielleicht war dieser Gedanke tröstlich für Polly. Ich weiß nicht mehr genau, was sie sagte, aber ich weiß noch, sie klang danach beschwingt wie schon lange nicht mehr. So munter, daß ich dachte, Wach auf, Mädchen, pack die Koffer und hau ab. Warum erträgst du unseren Tom so lange?

Ich selbst konzentrierte mich voll auf ihn. Mir machte er Mut, stand mir in allem zur Seite. Die Zeit mit Tom war so etwas wie eine Achse, um die alles, was ich tat, rotierte. Er kam nach dem Fitneßstudio zu mir, obwohl er erschöpft war. Ich redete ein bißchen Penthesilea daher, und er sagte, Weiter so. Du kannst es. Du bist so nah dran wie noch nie. Dann wollte er massiert werden und zog sich aus. In diesem Moment rief Polly an. Als sei über Nacht etwas in ihr gereift, das jetzt platzen müßte, fiel sie in einem Wortschwall über ihre Ehe her. Den Hörer am Ohr, folgte ich Tom, der, nun nackt, winkte. Langsam und mit zitterndem Po ging er von Zimmer zu Zimmer, als sei die Luft etwas Neues für ihn, als sei er etwas Neues für sich selbst. Er wurde ungeduldig. Polly aber war nicht zu bremsen. Sie war gerade da angekommen, wo das Kind zum ersten Mal eine Nacht durchgeschlafen hatte. Ich sah Tom an einer Tasse roten Tee schnuppern und das Gesicht verziehen. Zum dritten Mal winkte er. Als ich nicht reagierte, ging Tom zu Bassams Tüten. Er kickte dagegen, bis eine Lawine von Schokotafeln herausrutschte. Er hob den nackten Fuß, stampfte los. Tritte, kräftig genug, um einem kleinen Tier das Genick zu brechen. Ich floh, die Hand auf dem

Hörer, in die Küche. Polly überschlug sich fast, Kennst du diese chinesische Folter, Du kriegst die besten Speisen serviert, jeden Tag, nur immer eine Spur zu wenig, um satt zu werden. Du verhungerst langsam. Das ist das Leben mit Tom.

In diesem Moment rannte Tom aus der Wohnung. Die Tür knallte, und Polly brach ab. Weiter, sagte ich, weiter, weiter. Sie flüsterte. Ich will noch ein Kind, zwei sind leichter als eins.

Wir schwiegen beide einen Augenblick, dann fragte sie nach Bassam. Aber mein Kopf war leer. Und dann flüsterte einer hinter ihr ihren Namen, und es war Tom.

Im Hochsommer waren die Straßen leer. Nur die Straßenbahnen fuhren mit öligem Quietschen durch die Stadt wie durch ein aufgeklapptes, verdunstendes Gehirn. Die Sonne raubte den Mauern die Farbe und radierte sie knochenweiß. Kurz vor dem Griechenland-Urlaub brachte Tom sein Kind mit. Das Kind konnte schon laufen. Es konnte schon mit dem Löffel essen, konnte Formen und Menschen unterscheiden, und es konnte schreien. Aber sprechen konnte es nicht. Das Kind ertrug die Hitze schwer. Es hing in seinem Buggy, und Tom drückte ihm Fläschchen, Schnulli oder Kekse in die winzige Hand. Irgendwann öffnete sich diese Hand dann wie von selbst und streute alles auf den Boden. Als wollte das Kind etwas säen. Wenn das Kind dagewesen war, lagen überall Krümel. In meiner Wohnung, auf der Treppe – sogar auf dem Trottoir vor dem Haus lagen angebissene Butterkekse. Vielleicht wollte das Kind eine Spur legen, von meiner Tür bis zu Pollys Tür. Aber die gefräßigen Stadttauben, diese Schweine mit Flügeln, wie sie Bassam nannte, verhinderten das.

Aus Griechenland hörte ich nichts. Tom fehlte mir. Pollys Anrufe nicht weniger. Mir fiel plötzlich soviel ein, das ich ihr gerne erzählt hätte.

Bassam kehrt spät am Abend zurück. Zuerst kocht er roten Tee. Dann steht er wieder vor dem Stromzähler im Flur. Von hinten lege ich ihm meine Hände auf den Bauch. Ich sehe, wie er mit einer Rasierklinge das Fensterchen des Stromzählers ansägt. Er sagt, Ich kauf einen Chrysler. Er schiebt ein Stück Film in den kaum sichtbaren Schlitz, bis der Film das Rädchen streift. Es wird sofort langsamer. Ich frage, Welche Farbe hat das Auto, er sagt, Pink. In der Nacht verläßt Bassam seine Insel und kommt in mein Zimmer. Er setzt sich auf mein Bett und sagt, Komm, ich schrei für dich. Er drückt seine Hand auf meinen Bauch. Hau ab, sage ich. Er lacht und reibt seinen Hals an meinem Mund. Er sagt, Wie alt ist Tom eigentlich. Ich schmecke seinen Schweiß auf meinen Lippen, wische mir den Mund am Arm ab und drücke ihn weg. Ich dacht', sagt er, zwischen uns sei mehr. Wie kommt er darauf. Und was meint er mit «mehr». Er schweigt. Vielleicht, sage ich, meinst du das Meer und da kannst du recht haben. Ich schicke ihn auf seine Insel zurück. Am Morgen verschwindet er. Seine Tüten läßt er zurück, als ob er bald wiederkomme, doch er kommt nicht wieder.

Zur Zeit der größten Hitze verschanzte ich mich. Frühstück gab's nie, es war immer schon zu heiß. Laken vor die Fenster. Waren die Fenster bedeckt, wirkte die Wohnung kühler. Mit geschlossenen Augen stellte ich mir die Stadt vor; in meinem Kopf war sie leicht und schwebte und flimmerte. Oft spazierte Bassam durch diese Stadt in meinem Kopf, und er trug einen Anzug darin, so weiß wie die Laken vor den Fenstern. Und diese Nacht mit Bassam. Erschrocken hatte ich mich von ihm gelöst, hatte meine Körperteile geordnet, bis wir wieder aufeinander paßten. Ich schlief auf ihm ein, mein Arm auf seinem, mein Kopf in der Mulde unterhalb seiner Schulter – man hätte uns fein säuberlich verschnüren und als Doppelpack mumifizieren können.

Zweimal pro Woche ging ich zu einem Workshop. Dort traf ich die Japanerin wieder. Ihre winzigen Tops sahen aus wie aufgemalt auf die schneeweiße Haut. Als ich sie nach Bassam fragte, verdrehte sie die Augen und kicherte. Wir mußten schreien auf Kommando. Die Japanerin konnte gar nichts auf Kommando. Von den Frauen war ich die älteste. Wenn ich nach Hause lief, wurde es schon dunkel.

Ende August kam Tom zurück. Er sah völlig verbrannt aus. Das Haar bis auf Stoppel abgeschnitten, wirkte sein Kopf viel kleiner als vor Griechenland. Überhaupt schien er einfach weniger. Auf dem Weg in meine Wohnung schlief das Kind im Buggy ein. Wir stellten es in der Garderobe ab und legten uns ins Bett. Tom zeigte mir seinen Rücken, eine Weltkarte mit rosa Kontinenten, die wuchsen, je mehr Haut sich schälte. Unmöglich, ihn zu streicheln. Ich saß auf seinem Po und sammelte durchsichtige Hautfetzchen in der Hand, bis die Zeit um war. Als er aufstand, sagte Tom, Weißt du, für das Kind ist es schädlich, allein aufzuwachsen. Deshalb ist deine liebe Polly jetzt guter Hoffnung. Das Kinderkriegen, sagte er, ist für Polly damit endgültig abgeschlossen. Er sah mir ins Gesicht, ich drehte mich zur Tür, da hielt er mich fest. Er bog meinen Kopf zu sich. Nun schrei endlich, sagte er. Ich zog ihn hinaus in den schattigen Flur, wo das Kind neben dem Wagen saß: Zum ersten Mal war es allein herausgeklettert. Es saß auf dem Boden zwischen Bassams Tütenfetzen, schokoverklebt. Es sprach die Silben meines Namens vor sich hin. Tom packte es, wusch es, und bevor er ging, sagte er, Du kannst das Kind jetzt eine Weile nicht mehr sehen.

Später kochte ich aus den harten Blättern, die Bassam zurückgelassen hatte, den roten Tee. Als das Telefon klingelte, ging ich nicht ran. Ich machte alle Lampen aus, und es wurde ganz still. Sogar das Stromrädchen, das sonst unablässig am Film streifte, verstummte. Ich zündete die Laterne an und schrieb Tom einen Brief.

Du bedeutest mir sehr viel, schrieb ich, bestimmt soviel wie Polly, aber anders. Ich schrieb: Alles ist gut, was weh tut: Brennen, Schlagen, Einsperren, Aussperren, Stechen, Hämmern, Zwicken, Hauen, Würgen, Kratzen, Boxen, Treten, Schneiden, Stoßen, Zerfetzen, Zermantschen, Pfählen, Zerreißen, Zerdrücken, Quetschen, Bohren, Löchern, Hacken, Spießen, Prügeln, Zerstampfen, Zermalmen, Anspucken, Häuten, Vierteilen, Zersägen. Schmerz durchbohrt und macht aus mir einen Tunnel. Dem Schmerz vertrau' ich mich an, schrieb ich. Diese Haut muß ich durchbrennen. Draußen stirbt der Sommer auf den Dächern. Es wird dunkel. Ich hebe den Deckel der Laterne. Ich lege meine Hand auf das Loch und lasse sie liegen. Hitze bündelt sich in einem kleinen Kreis. Wo Kreis auf Hand trifft, wird sie kohlschwarz. Ich spüre einen Stich – das Fleisch meiner Hand. Es fängt an zu riechen. Aus dem Stich wird ein Pochen. Die Wunde ist häßlich. Sie tut was sie will. Die Haut hebt sich. Ach wäre sie ein Zeltdach oder mehrere kleine Moscheen in meiner

Hand. Ich kann die Hand nicht mehr schließen. Die Kuppeln platzen, und drunter wartet der Herbst – braun, rot und violett. Schmerz erdet. Mit diesem Bauwerk in meiner Hand, was kann mir noch passieren?

Ich faxte den Brief an Tom. Und an Polly. Ans Telefon ging ich nicht. Schweigen ist wie jemanden in die richtige Richtung schicken.

Tom rannte im Fitneßstudio, rannte mehrmals um die Erde auf dem schwarzen Band. Dann zog er aus. Das erzählte mir Polly im Treppenaufgang der Schauspielschule, wo ich sie gestern traf. Sie saß auf den Stufen. Sie hatte die Hände auf ihren prallen Bauch gelegt, als sei sie zu Gast an ihrer eigenen Tafel.

Als Polly in der Nacht anrief, stieg ich sofort ins Taxi. Ich höre sie schreien und stelle mir vor, ihr Körper stülpt sein Innen nach außen. Er preßt aus der Mitte heraus. Was sich oberhalb der Mitte befindet, kommt als Schrei heraus, was sich unterhalb befindet, kommt als Kind. Ich höre Pollys Schreie. Ich beneide Polly. Ich bin ja ihre Schwester, und diesmal werde ich auch Patin des Kindes. Ich weiß nicht, was es bedeutet, Patin zu sein. Ich hoffe, ich fürchte, das Kind kommt und fordert von mir, was es eigentlich von Tom bekommen sollte: Bedingungslosigkeit. Es schreit, das Kind. Irgendwann schreit das Kind. Es ist ein greller Schrei, viel zu groß für die winzigen Öffnungen des Körpers. Ich fürchte, er fräst sich auf seiner Suche nach draußen in das Kind ein. Ich merke, wie ich unwillkürlich zusammenzucke, auch wenn es noch gar nicht schreit, das Kind. Wir müssen uns zusammenreißen, denke ich, damit wir nicht vor jedem ungeübten Schrei weglaufen.

EIN AUTO, EIN LASTWAGEN, EINE SCHILDKRÖTE

Aus seiner Sicht könnte die Geschichte so aussehen: Vor der Fensterfront stürzten Flocken wie nasse Tempofetzen vom Himmel. Er und sein Kind allein im Atelier, behütet auf dem Teppich, der das Wohnzimmer markierte. Er im Sessel, das Kind, blond wie eine Königskerze, auf seinem Schoß. Die königskerzenblonde Frau, außerhalb, auf Einkaufstour, mit dem Auto, auf der Jagd nach Vorräten, für die Familie, die Feiertage. Wunderkerzen, Streichhölzer, H-Milch, Butter, Stollen. Im TV verteilten drei Nikoläuse ihre Gaben. Er hatte den Ton abgestellt. Was wünschte sich sein Kind? Er war gespannt. Er dachte an Schlittenfahrten und an nasse Füße. Er dachte an den Geruch von Bienenwachs und Räucherkerzen. Dieser Raum aber, unterteilt in verschiedene Bereiche, roch überall nach Ölfarbe. Sein Kind unterbrach ihn: ein Auto, ein

Lastwagen, eine Schildkröte. Aber so groß wie ich, fügte es hinzu, direkt in sein Ohr. Weiches Kinderhaar kitzelte ihn. Die Zärtlichkeit, die ihm zustand? Willst du nicht lieber doch was anderes, sagte er. Schöner wäre doch ... Das Kind sah ihn an. Was?, weit offene Pupillen, Kinnlade runter, zwei runde Zähnchen – Genau dann. Genau in diesem Moment mußte das Handy klingeln. Das Kind rief in das Klingeln hinein, Was, Papa, was wäre schöner? Er, der Zauberer, setzte mit dem Finger ein bedeutsames Zeichen in die Luft, eine Pause und noch eine. Er schob dem Kind Papier und Stifte hin. Das Kind rutschte von den Knien auf den Boden, begann zu malen. Wenn er sich um sein Kind kümmerte, hatte er seiner Frau versprochen, durfte nicht mal der Direktor der National Gallery stören. Nachmittage, an denen er nicht malte, hatten kein Rückgrat. Ein Haufen alter Lappen lag auf der anderen Raumseite. Grundierte Leinwände, an die weißgekalkte Mauer gelehnt, starrten ihm in den Rücken. Er drückte die grüne Taste.

Hallo, sagte die Studentin in der Leitung, sein Anrufverbot mißachtend. Die hatte Mut, fuhr vom falschen Ende in die Einbahnstraße. Verfolgte ihn bis ins Nest. Er konnte nicht sprechen mit ihr, solange das Kind neben ihm saß. Er war ihr ausgeliefert, ihrem aussichtslosen Versuch, zwei gleiche Magnetpole zusammenzurücken. Die schwappten auseinander, und ihn zerriß es dabei. Jäh drehte er sich weg vom Kind und sagte, Bist du verrückt, Liebste, aber doch, ich freu mich, ich freue mich. Doch, eine Minute geht es. Ich sitz' hier und schau' auf den Teppich und denke an deinen ersten Besuch. Du konntest hinterher kaum noch laufen, du Arme, sagte er. Aber jetzt steht da eine riesige Tanne ...

Ach nein, sagte die Studentin, der Teppich war weich. Ich hatte nicht einen blauen Fleck. Deinen Studentinnen aus aller Welt kannst du ausrichten, auf den Teppich ist Verlaß. Was das betrifft, können sie sich unbesorgt vögeln und danach malen lassen. Das Blumenmuster ist mir so exakt im Kopf geblieben, sagte sie, ich hab' es integriert in ein Bild. Diese einander verschlingenden Ranken ...

Wenn du weiter so redest, sagte er, dann wird sich mein Kind gleich wundern müssen, über seinen fröhlichen Papa.

Ach, sagte sie, dein Kind wird denken, Wow, auf dem Mund von meinem Papa verwandeln sich sogar Teppichblumen in ein Lächeln ...

Das Kind, sagte er, kann doch die Dinge noch gar nicht einzeln bedenken. Darauf müssen wir Rücksicht nehmen, verstehst du. Es kann ja noch kaum sprechen. Höchstens von seinen Wünschen. Die sind sein Zuhause.

Die Welt ist ihm ein Rätsel. Kinder sind der Schlaf des Realen, schon in den Sekunden ihrer Entstehung.

Die Studentinnen der unteren Semester beeindruckten solche Sätze. Manchmal glaubte er selbst daran. Wenn er das Kind hütete, bezog ihn das Kind in diesen Schlaf mit ein. So wie jetzt: das malende Kind, der lächelnde Papa, die sternbehangene Tanne, die nelkengespickten Orangen, die Eiszapfen und Elstern vor dem Fenster und die Flocken, die, er sah es jetzt, leicht geworden waren und im Wind aufwärts trieben, bevor sie auf der Straße landeten und die Stadt allmählich im Schnee versank.

Die Stimme der Studentin hielt ihn wach: Grüß das Kind von mir und schenk ihm ein Puzzle, sagte sie. Dann ist es beschäftigt und kapiert, daß sich alles auf der Welt auseinandernehmen läßt.

Nein, sagte er, es ist zu klein. Und ich glaube auch nicht, daß das Kind sich an dich erinnert.

Wahrscheinlich nicht, nach zweimal Sehen, sagte die Studentin. Die Tante mit den Überraschungseiern. Nackt auf dem Teppich wie früher seine Mama.

Fang bitte nicht an, sagte er. Ich muß gleich auflegen.

Warte, sagte sie sanft, Du hast einen Wunsch frei heute. Du hast doch sicher einen, jeder hat irgendeinen Wunsch.

Ich vermisse deinen Mund, sagte er. Ich meine, was du sagst. Ich möchte dich sehen.

Du willst mich sehen, sagte sie. Und du willst, daß es unmöglich ist.

Ich will, daß es dir gutgeht. Daß du gut malst. Daß du sehen lernst. Mach die Augen auf. Nimm mich als dein Christkind, sagte er und lachte. Ich bin voller Widersprüche, ich weiß.

Was er nicht wußte:

Es gab bereits seinen Nachfolger. Der Nächste war neulich abends in der Afro-Disco; auffallend viele Blondinen an der Bar. Er tanzte nur mit mir, die Augen stets geschlossen. Lippen wie Boxhandschuhe. Die Arme nach oben gestreckt, den Kopf im Nacken, schien sein Körper Impulse aus der Luft zu empfangen. Seine schwarzen Kleider sahen aus wie noch nie getragen. Shirt, Jeans, Lederjacke. Seine Hand fuhr unter meinen Pulli. Let me see your figure, sagte er. Tastete mich ab, als habe er Augen auf den Fingerspitzen. Are you free, sagte er, und ich erzählte ihm was vom Married Man. Aha, sagte er, Vati. Zum Ficken, sagten wir einander, haben wir keine Lust, no, no, fucking is bullshit. Wir sagten, Brother. Und, Sister. Überall, wo ich Brother streichelte, fühlte er sich an wie ein harter Schwanz. Spät in der Nacht ließ ich ihn stehen.

Gegen Morgen träumte ich, die Wände in meinem Apartment hätten andere Farben. Mein Badezimmer, weißgekachelt, war gelb, ein Gelb von Neon beschienen. Im Schlafzimmer waren die Wände grün. Brothers Schultern waren so schwarz, daß am Grund meines Traums eine ölverpestete Küste entstand. Brother war Automechaniker. Nach Sonnenaufgang sprach er kein Wort mehr. Nicht, als er mir ins Bad folgte, nicht, als wir zusammen Zähne putzten, nicht, als er sich duschte und eincremte, er sagte nichts, als er den Kamm durchs Haar zog, nichts, als er ihn unterm Hahn wusch, er sagte nichts, als ich Kaffee kochte und Eier briet, er sagte nichts, als er nach dem Frühstück hinausging, um sich anzukleiden. Er sagte, Guten Morgen, als er in seiner schwarzen Kluft wieder hereinkam. Und er sagte, I have no Aids. You have it?

Vati aber sagte: Besorg dir eine Kenzo-Bluse und schick die Rechnung ans Christkind. Das Kind horchte auf, Was? sagte es und schaute in die Luft, als erwarte es eine Erscheinung. Einfach unmöglich, zwei Autos gleichzeitig zu steuern, dachte er, Sorry, mein liebes Kind, nur eine Minute noch lockt dieses zweite Semester mich weg. Eins muß ich ihr ans Herz legen. Die nächsten Wochen. Sie soll lesen, sich versenken, ein bißchen Loyola, über die Hingabe, täte ihr gut.

Weißt du, sagte die Studentin, ich wünsche mir nichts. Viel viel besser: Ich erwarte etwas.

Nach einer Weile wiederholte er den Satz. Langsamer und leiser, wie um ihn zu dämpfen. Ich erwarte etwas. Ach du, sagte er dann, das steht dir auch zu. Liebste, du sollst was erwarten. Willst du lieber ... Nein, sagte sie streng, nichts will ich lieber. Ich krieg ein Kind.

Er hielt inne. Preßte das Handy ans Ohr. Wollte keinen Ton verpassen. Seine andere Hand flog zum hintersten Punkt des Kopfes. Dieser Lieblingsstelle der Studentin. Glatze hatte sie nie gesagt, sondern Nabel oder Ursprungspunkt unserer Beziehung. Ein Wort, auf das er immer gleich reagierte: Ich will keine Beziehung, ich will eine Frau. Und dort oben, wo er sich nicht sehen konnte, hatte sie dann eine kleine Haarspirale entdeckt, die sie an die Sternspiralen bei van Gogh erinnerte. Wenn sie mich jetzt sehen könnte, dachte er, wäre sie endlich still. Sein Kind trat neben ihn, legte ihm das Papier auf den Schoß. Das Kind hielt das Flüstern für eine neue Spur im Welträtsel. Sofort flüsterte es auch, Was, Papa? Es ziepte an seinem Brusthaar, oben, wo das Hemd offenstand.

Er sagte zur Studentin, Du täuschst dich. Nicht von mir, Nein, nein, von mir nicht. Dann Stille. So eine Stille, die erstmal guttut, aber nicht heilt. Was heißt hier heilt, wenn, was heilt, allmählich weh tut, dann heilte sie vielleicht auch. Er verlor den Zusammenhang. Er dachte an sich. An sich, was hieß das. Die Axt, die eine Kinderwelt entzweihaut. Autsch, sagte er, Autsch.

Die Studentin sagte gerade, Du bist doch ein denkender, fühlender Mensch. Gebildet sogar. Trotzdem habe ich deine Reaktion vorausgesehen. Übrigens werben die Labore bereits in den U-Bahnen für den Vaterschaftstest. Praktisch. Ich wechsle die Klasse, wir müssen nie wieder miteinander sprechen. Letztlich erzählst du mir ja sowieso nur, womit dir deine Frau den Kopf füllt. Das kannst du nicht malen, und es stapelt sich in dir. Wenigstens aussprechen mußt du es, damit es vergeht.

Das Kind krallte sich sanft in seinen Hals. Es sagte, Papa, was wäre schöner?, und nochmal, Was wäre schöner?

Er klammerte sich an sein Handy, Ich habe einen Bekannten, sagte er, der kennt einen ... Wir werden uns kümmern ...

Es geschieht automatisch, sagte die Studentin laut. Du hast was hineingelegt in mich. Dann hast du eben zwei Kinder. Ein geliebtes und ein ungeliebtes. Aber wart nur, das ungeliebte wird kommen und das geliebte zerstören. Du hast das Programm gestartet.

Er war ein flacher Stein, den sie übers Wasser schickte. Er hüpfte und hüpfte mit dem Schwung, den sie ihm verpaßt hatte. Und er ging brav unter. Sank auf Grund. Aber dann lief der Film plötzlich rückwärts. Und er stieg als Fels wieder hoch: Du bringst mich um, brüllte er in den Hörer. Das Kind neben ihm zuckte zusammen. Wir unterbrechen das Programm. Das merkst du nicht mal. Du schläfst, und bis du die Augen aufmachst, ist es vorbei. Du kriegst es nicht mal zu sehen.

Ende des Telefonats.

Er sah, was sein Kind gemalt hatte. Er konnte sich nicht satt sehen an diesen Bildern. Zwei gefielen ihm besonders. Er begann, sie zu kopieren.

Nach dem spielregelübertretenden Gebrüll flüsterte das Kind so laut es konnte, Was, Papa? Was wäre schöner? Es stupste ihn mit seinem immer klebrigen Zeigefinger ins Gesicht, knapp unterhalb der Augen. Er wollte in Ruhe kopieren. Wollte dem Strich seines Kindes folgen. Wollte eine Erfahrung. Wie sich der Wille des Kindes und das Ungestüm, das die Hand zu führen schien, abzeichnen. Er nahm die Hand des Kindes, legte sie auf seine eigene. Komm, sagte er, Führ mich spazieren auf dem Blatt. Aber das Kind sagte, Was Papa? Waaas? Es weinte. Kinderwortmatsch. Wer den begreifen soll. Das Kind, der ungerechte König, dachte er, wie recht es hat. Wieso sich beschränken? Reine Verschwendung. Er schob das Kind von sich. Es bog sich nach hinten, stellte den linken Arm senkrecht, wollte sich mit dem rechten daran emporhangeln, drückte das nasse Gesicht zwischen die Arme, fing an zu pumpen. Es stampfte, und es schrie, Was wäre schöner? Da platzte er. Eine Eisenbahn, brüllte er. Und nochmal, Eine elektrische Eisenbahn.

Das Kind weinte laut heraus. Die Erlösung. Der Schlüssel in der schweren Metalltür zum Wohnstudio. Seine Frau, die alles wußte und nicht wissen wollte, rief von der Garderobe aus, sie sei wieder da. Kam herüber. Nahm das weinende Kind auf den Arm. Wies auf eine Kopie, küßte das Kind, sagte, Das beste Blatt! Das hängen wir auf.

Sie trug das Kind in die Küchenecke. Von dort rief sie herüber, ob etwas gewesen sei.

Nein, rief er zurück, Du warst weg. Nur das.

Die Stadt ist dicht, rief sie.

Und er, Das hab ich mir gedacht.

Was er sich nicht denken konnte:

Wahrscheinlich würde Brother der Nächste sein, aber wichtig war das nicht. Wichtig war, daß ich Pläne hatte mit ihm. In diesen Tagen wollte ich so wenig wie möglich an mich denken. Wollte essen mit ihm, trinken mit ihm, tanzen mit ihm – und dann eine gigantische Bescherung. Aber wie eine kleine, im Bildrätsel versteckte Maus tauchte ich in jeder Szene wieder auf. Das dachte ich, als ich nicht an mich denken wollte. Ich dachte auch daran, ein Quadrat auf eine Kugel zu projizieren. Die unzähligen Möglichkeiten machten mich fast verrückt. Und doch waren sie alle gleich. Eine Unmenge von immer dem Gleichen. Verändert einzig durch den Betrachtungswinkel der Maus. Zumindest auf dem Papier. Ich riß es in Streifen und bastelte eine Weihnachtskette. Um die kleine Polyester-Tanne auf meinem TV rankte bereits ein Kabel mit Blinklichtern. Wer von der Straße unten zu meinem Zimmer heraufschaute, sah nur eine violett pulsierende Zimmerdecke. Ähnlich, aber ein bißchen schmutziger die Farbe des Himmels, dieser Decke aus Abgasen, bestrahlt vom Eigenlicht der Stadt. Ich wünschte mir Massen von Schnee, die Stadt müßte, während sie darin unterging, glitzern und funkeln.

Ein Tag vor Weihnachten war es soweit. Ich rief Brother an. Er war krank. Er zählte mir die Symptome auf, so blieben wir in der Leitung hängen. In einer langen Telefon-Nacht (die Schnurlosen wurden mehrmals leer), weihte ich ihn ein. Als er sagte, Jetzt würd' ich dich gerne küssen … from top to toe, you know. Von der Stirn bis zu den Fersen, sagte ich, Bevor du unten ankommst, muß ich dir noch was erzählen. Er mußte alles wissen. Er mußte Teilhaber werden. Bei mir ist was schiefgelaufen. How that, sagte er. Diese Antwort war ein deutlicher Hinweis darauf, daß er mir der Nächste sein wollte, aber noch keine Garantie. Ich erzählte die Geschichte. Schnell und sehr leise, damit sie nicht wirkte wie ununterbrochene Schläge.

Es war still in der Küchenecke. So eine Stille, in der Kartoffeln verschimmeln. Vati im Sessel kopierte wieder mal sein Kind.

Kriegte nicht los, was die Studentin ihm unlängst durch die Leitung ins Ohr geschrien hatte: Das ungeliebte Kind wird kommen und das geliebte zerstören.

Ich will sie nicht verstoßen, dachte er, Im Gegenteil. Sie ist so unberechenbar. So wild. Ich liebe sie. Was sollte er jetzt glauben. Vielleicht nahm das Zittern in seinem Körper zu. Vielleicht ließ es nach. Ganz verschwinden würde es nicht mehr. Langsam wurde es dunkel, das spürte er, ohne zum Fenster zu schauen. Die Christbaumkugeln spiegelten das TV seit Tagen, vervielfältigten die unermüdlich austeilenden Nikoläuse noch um ein Mehrfaches. Ein leises Klirren vom Baum, scheinbar war alles in Bewegung, ohne daß er es bemerkt hatte. Er war zu zart für diese Welt, das wußte er.

Was er aber nicht wußte:

Der Bekannte des Bekannten, den ich in seiner Praxis aufgesucht hatte, hatte mir, nach einigem Überreden, ein zugeschweißtes Plastiksäckchen mit weichem Inhalt überlassen, den anzuschauen ich nicht wagte. Sicherheitshalber wickelte ich das Säckchen in Butterbrotpapier und klebte Tesafilm darauf. Es folgten mehrere Schichten Packpapier, lose wie ein Mäntelchen drumherumgelegt. Obendrauf schrieb ich Vatis Name, dieses Wort, in dessen Klang er sich, seit er Professor war, so heimisch fühlte.

Brother schien nichts von alledem fremd. Seine einzige Frage, warum ich mich je in Vatis Loft begeben habe. Mir fiel nichts anderes ein, als, Wahrscheinlich habe ich ihn mit seinen Bildern verwechselt. Ich weiß nicht, ob er das nachvollziehen konnte. Danach unterbrach mich Brother nur noch, um sich die Nase zu putzen. Ich war ziemlich sicher, daß er der Nächste sein würde. Als wir auflegten, war es schon hell, sehr hell. Schnee deckt die Stadt zu. Und es schneit noch immer. Es schneit, als würde es nie wieder aufhören.

Eine elektrische Eisenbahn ein Auto eine Schildkröte. Das Kind in der Küche klingt heiser. Hast du nicht etwas vergessen, wird die Mutter sagen. Du hast etwas vergessen. Vati stutzt. In diesem Moment wird es an der Wohnungstür klingeln. Vati weicht das Blut aus dem Kopf. Er rennt los. Seine Frau ist schneller. Er wird stehenbleiben und horchen. Irgendwas wird schon passieren. Egal was, steh dazu. Nur die Zukunft zählt, wird er sich denken.

Was er sich nicht denken kann:

Der junge Schwarze vor der Tür, der sich auskennt mit betrügenden und betrogenen Ehefrauen, lacht seiner Frau ins Gesicht. Sie kann dieses Lachen nicht deuten und deshalb nicht mehr wegschauen von diesem Lachen. Elfenbeinweiß, denkt sie und ärgert sich, denn klar ist, es sind nicht die Zähne, die sie fesseln. Vielleicht ist es der dicke Schal; bestimmt hat der Junge ihn nur deshalb so auffallend oft um den Hals geschlungen, um auf seinen enorm langen Hals darunter hinzuweisen. Wie etwas aus einer anderen Jahreszeit Übriggebliebenes wird er vor ihr stehen. Die vom Frost überraschten Zirkustiere fallen ihr ein, die an jeder Ecke der Fußgängerzone stehen. Sie kneift die Augen zusammen. Diesen Moment wird der junge Schwarze dazu nutzen, ihr, wie in einem Wurf, das Päckchen zu übergeben.

Mama, was was? wird das Kind in der Küchenecke sagen. Eine elektrische Eisenbahn ein Auto eine Schildkröte, was hab ich vergessen?

Die Puppe, wird die Mutter sagen, Die Negerpuppe hast du vergessen.

GRAUE
BRIEFE

Genau kann Sie es nicht mehr sagen, wann der erste derartige Brief in der Post lag. Vielleicht war es an diesem Montag Anfang März. Sie erinnert sich noch an diesen Tag, weil Sie aus dem Verlag direkt zum Friseur geeilt war, und, da Sie sich im Tag geirrt hatte, dort vor verschlossener Tür stand. Sie kam also früher als geplant nach Hause und hat dann, zum letzten Mal mit langem Haar, den Briefkasten geleert. Es lag nur dieser eine Brief im Kasten: dieser Brief an ihn von der Organisation. Sie hat den Brief dann ahnungslos hinaufgetragen. (Zu diesem Zeitpunkt war Er schon seit sechs Monaten Mitglied und erhielt regelmäßig Post.) Trotzdem ist dies der erste Brief, an den Sie sich erinnert. Als Sie die Wohnungstür öffnete, hat die Katze laut geschrien, jedoch mit offenen Augen und zu kleinen Keilen zusammengezogen Pupillen – diesem Ausdruck in den Augen, der Sie gleich in die Küche rennen läßt, um den Katzennapf zu füllen. Ihn übrigens auch, aber Er kommt fast immer später als Sie, zu spät, dachte Sie damals, um noch auszugehen, zu spät für alles andere als ein bißchen Essen, Fernsehen, eine schnurrende Katze und seine Post.

Er bekommt viele Briefe, weiße von alten Freunden, grüne von der Bank; und graue von der Organisation. Sie hatte fest vorgehabt, es zu begrüßen, als Er vor einem halben Jahr seine Fühler in eine neue Richtung ausstreckte, denn wenn Er von seinen Kunden kommt, braucht Er Ablenkung, und wenn die zusätzlich noch einem guten Zweck dient, dann sind das für Sie die beiden Fliegen mit der einen Klappe. Ein paar Wochen später kam Sie sich selbst vor wie eine von den Fliegen, und Er war die Klappe, die Sie erschlug. Und wer war die andere?

Renn, hau ab, pack deine Sachen, dachte Sie, sobald Sie das Archiv verließ. In ihrem Kopf fing es an zu rechnen. Wann kam der zweite Brief? Was war überhaupt geschehen? Er konnte stolz sein, das erste Café mit roten Wänden hat Er eingerichtet. Danach wurden rote Wände große Mode in den Cafés dieser Stadt. Als habe Er damit einen Herbst in den Straßen entzündet, loderten plötzlich in sämtlichen Cafés die Wände auf.

Er bekam so viele Aufträge, daß Er die Hälfte ablehnen mußte.

Er kam immer später nach Hause, oft ging Er direkt vom Büro zu seiner Organisation, und wenn Sie ihn am nächsten Tag danach fragte, erzählte Er ihr nichts davon. Redete immer nur von den Kunden, die lieber lebenslänglich beige Kacheln an den Wänden ertrugen, als ein bißchen mehr zu zahlen für eine Farbe.

Eines Tages, als Sie die Post in sein Zimmer brachte, lagen dort anstelle des Krimis ein Buch und Zeitschriften über Kleinwagen. Sie schloß daraus, daß Er Sie bald mit dem Verkauf des Jaguars überraschen würde. Gekauft hatte Er ihn auch heimlich. Vor fast zwei Jahren, Sie erinnerte sich genau. Es war ein früher Sommermorgen, eher kühl, und Er führte Sie, noch im Pyjama, auf den Balkon; Er deutete hinab auf die regennasse Straße, denn dort stand, als hätte ihn der Himmel selbst herabgesandt, der Jaguar. Er hatte ihn kaufen können, weil ihn, außer ihm, niemand haben wollte. Obwohl schon zehn Jahre alt, wirkte er wie neu. Sein alter Passat (ein Geschenk seiner Mutter zum Abschluß des Studiums) war so ein Urwesen aus grauer Vorzeit, wogegen nichts zu sagen wäre, wenn Sie sich darin allmählich nicht ebenso vorgekommen wäre. Der Jaguar (das bessere Urwesen) war eine echte Erlösung. Er war wie eine zweite Wohnung für die beiden. Im Jaguar sahen seine ersten graue Haare silbern aus. Es reizte ihn, ihr während des Fahrens die Hand aufs Knie zu legen. Wenn Er den Arm ausstreckte, reichte Er gerade herüber. Sie fuhren aus der Stadt hinaus, und seine Hand schlitterte, wie der Schaum auf einer Welle, an ihrem Rocksaum entlang, bis Sie seine Hand festhielt. Dann bog Er sofort in einen Waldweg ab.

Ein einziges Mal waren die beiden bis nach Italien gefahren.

Sie kannten sich noch nicht lange. Die folgenden Sommer über, in denen sie zu Hause saßen, zehrten sie von dieser Reise: Wenn draußen die erste Hitzewelle anrollte, wehte der Ventilator den Vorhang hoch wie einen Rock – eine Spur zu gleichmäßig, dachte Sie. Zu Mittag wurden die Schatten hier auch ein bißchen braun – eine Spur zu grau, dachte Sie. Durchs Fenster sahen sie den Dampf aus dem Chemiewerk emporsteigen, weiß wie ein Engel auf einem Fresko – eine Spur zu geballt, dachte Sie. Nachts bellte der Pudel von unten im Hinterhof – eine Spur zu nah, dachte Sie, und doch stellte Sie sich vor, Sie sei in Italien, das scheinbar unter einem Netz aus fern bellenden Hunden liegt. Er öffnete alle Fenster und Türen der Wohnung und holte Strandbilder und Photos aus dem Schrank. Weißt du noch, Rimini, sagte Sie, da wohnten wir in einem

Hochhaus. Neunter Stock. Du hast dich hinter mich gestellt, damit ich mich weit übers Balkongeländer lehnen konnte. So weit, daß ich hinter der Armee von Liegestühlen und Sonnenschirmen das Meer sah. Es war blaß. Glatt wie eine Muschel. Am Strand saßen immer junge dunkle Männer und sahen zu, wie wir badeten. Beim Schwimmen streiften weiche durchsichtige Teile an meinen Beinen. Ich versuchte, sie festzuhalten, weißt du noch, und als es mir gelang, waren es plötzlich aufgeweichte Windeln, Bananenschalen oder Plastiktüten. Er wußte es noch, und was Er nicht mehr wußte, weil Er es nie gewußt hat, davon redeten sie nicht.

Als die Hitzewelle auf ihren Hochpunkt zusteuerte, sagte Er plötzlich mit klarer Stimme: Hey, du bist für mich wie das Meer – das tiefe, reiche Meer. Dieser Satz gab ihr zu denken.

Es kamen immer neue Briefe dieser Art. Geöffnet bekam Sie die Briefe nie zu Gesicht. Beim letzten fielen ihr unter dem gedruckten Absender zwei winzige, handgeschriebene Initialen auf, S und M, die sich sachte Richtung Briefmarke neigten, einer großen bunten Marke mit Schmetterlingsmotiv. Sie hielt den Brief an die Nase, doch was sie roch, war nur ihr eigenes Parfum. Sie hielt ihn vor eine Halogenlampe, aber der Brief war grau und undurchdringlich, als wäre er aus Stein. Nur ihre Arbeit lenkte Sie noch ab. Sie sollte an einem neuen Projekt mitarbeiten. Man schickte Sie nach Bayern, um einen berühmten Koch zu interviewen. Endlich raus aus dem Archiv!

Sie freute sich auf die Reise, auch wenn Er ihr sonst nicht direkt Grund zur Klage bot: Neuerdings sortierte Er den Müll, Er aß Avocados und hatte sich Hanteln gekauft. Diese Veränderungen hatten jedoch mit ihr überhaupt nichts zu tun (und dabei hatte Er doch erklärt, daß man immer alles teilen sollte). Das war schlimm.

Ein paar Tage vor ihrer Abreise kam Er spät und ging direkt ins Schlafzimmer. Es riecht angebrannt, sagte er. Riechst du es? Er rief die Feuerwehr an. Ich habe doch alles ausgemacht, sagte Sie. Kommt von draußen, sagte Er, Es riecht nach Chemie, und Er ging von einem Zimmer ins andere.

Kurz darauf hielt ein Feuerwehrauto vor dem Haus. Das ist peinlich, sagte Sie, daß ausgerechnet wir die Feuerwehr rufen – die Nachbarn werden denken, du bist mit brennender Zigarette eingeschlafen.

Es wirkte fröhlich, wie Er sich im Blaulicht den Mantel anzog. Sie hatte immer das Gefühl gehabt, Er sei durchsichtig; vielleicht glaubte Sie ihm deshalb so wenig.

Unten waren zwei Feuerwehrleute zu ihm getreten. Er würde ihnen das Gleiche erzählen wie ihr: ein Unfall im Chemiewerk. Tun Sie etwas.

Sie sah, wie die Feuerwehrmänner ihre Nasen in die Luft hoben, sah sie dann kopfschüttelnd in ihr Fahrzeug steigen und wegfahren. Als Er heraufkam, schüttelte Er auch den Kopf. Alles im Bereich des Normalen, haben sie gesagt. Wenn Sie mehr über diesen Geruch wissen wollen, nehmen Sie einen Müllbeutel und fangen Sie damit die Luft ein. Bringen Sie uns die Luft, und wir untersuchen sie in unserem Labor. Er schnaufte laut aus. Die Luft einfangen!

Nach einer weiteren Woche der siebte Brief. Ungeöffnet lag er auf dem Schreibtisch und wartete auf ihn, da fand Sie den Brief von neulich. Eher zufällig. Sie betrat sein Arbeitszimmer sonst nur, wenn Sie die Post brachte. Aber die Katze hatte an diesem Tag versucht, das Kabel seiner Stehlampe zu durchbeißen, es gab einen Kurzschluß, dem die Katze ihr Leben verdankte. Sie bückte sich nach dem zerbissenen Kabel und fand auf dem Boden neben der Steckdose – das Kuvert! Die beiden kleinen Buchstaben fesselten Sie. Das S und das M. Sie kamen ihr so lebendig vor, als wollten sie in das Kuvert hineintanzen. Ihre Finger tanzten ihnen nach, aber das Kuvert war leer. Sie mußte also etwas tun, was Sie nie vorher getan hatte: Sie öffnete seine Schreibtischschublade. Sie wühlte zwischen Pfeifen und Kugelschreibern, Anstecknadeln und Batterien, und ihre Hände kamen ihr vor wie ein Schaufelbagger, der den Boden aufreißt. Sie suchte lange, fand jedoch keinen Brief. Stieß nur auf ein Stück Papier: einen kleinen, gefalteten Zettel, darauf seine Handschrift: An das Meer, stand da geschrieben, und sie klappte ihn auf und las: Das tiefe MEER – LEER!

Sie ließ sich auf den Boden fallen und hielt die Luft an, bis ihr übel wurde. Sie dachte, Dies ist das Ende, und es kam ihr vor wie ein schrecklicher stinkender Furz. Er würde vergehen. Aber etwas würde ihr bleiben: ein oder zwei der gemeinsamen Freunde, ihre Arbeit und die Luft der Welt (viel lieber hätte sie etwas verschmutztere Luft mit ihm geteilt, als die etwas saubere ohne ihn zu atmen).

Als Er nach Hause kam, schwebten draußen weiße Flocken von den Bäumen, dicht und wild. Sein Haar war jetzt länger als ihr eigenes. Sie fragte nicht nach dem Brief, denn alles, was mit der Organisation zu tun hat, behielt Er sowieso für sich. Doch Sie fürchtete, was Er tat, sei unter ihrer Würde.

Pedantisch war Er immer schon gewesen, selbst im Bett. Er achtete darauf, daß kein Tropfen danebenging.

Wenn Er einparkte, mußte der Wagen in einem gleichmäßigen Raum eingebettet sein, fünf Zentimeter zu weit links, und Er schaltete in den Rückwärtsgang und probierte es nochmal. Aber eines Tages würde Er einen Fehler machen, dachte Sie. Vielleicht würde Sie ihn mit dieser Frau ertappen. Immer sah Sie die Finger der Frau an seinem Hals. Sie wollte ihn zerstören, wenn Sie daran dachte. Sie würde die Tür aufreißen und ihn schlagen mit einem Buch, sie würde ihn erstechen mit seinem Brief-messer. Vielleicht würde Sie auch auf den Boden spucken und dann leise die Tür schließen. Sie würde sich einen Liebhaber nehmen, einen, der wirklich lachen konnte und auch sonst so war, wie Sie glaubte, daß Er gern gewesen wäre.

Ein Tag vor ihrer Abreise nach Bayern schrieb Sie ihm einen Zettel, in dem Sie ihn daran erinnerte, daß Sie erst in zwei Tagen wieder hier sein würde. Sie hatte allein zu abend gegessen und trug den Zettel zu seinem Schreibtisch. Da lag ganz obenauf einer der grauen Briefe. Sie nahm ihn und steckte ihn in ihren Koffer.

Etwa gegen vier Uhr am nächsten Tag kam Sie im Hotel an. Vom Bahnhof aus war es zu Fuß zu erreichen (die Redaktion mußte sparen): ein dunkelbrauner Kasten, in sich geschlossen wie eine Pyramide. In ihrem

Zimmer eine Stille, als habe ihr jemand auf beide Ohren gleichzeitig geschlagen. Im Zug hatte Sie nicht gewagt, den Brief anzufassen. Auch den Koch traf Sie lieber vorher. Sie mußte kaum Fragen stellen, soviel erzählte er. Doch als er ihr Tonbandgerät sah, wußte der Koch plötzlich nicht mehr, was er sagen sollte. So gab er an, was er gerade mit den Händen tat. Später, als Sie das Band abhörte, klang seine Stimme darauf sehr leise, dafür überlautes Topfklappern. Es klang, als sei ein Zwerg in einer Riesenküche zugange. Dabei war der Koch selbst ein Riese, mit Händen wie zwei große Löffel, die nicht nur Stahltöpfen gewachsen waren, sondern auch einem großen roten Stück Fleisch. Auf dem Band hörte Sie genau, wie er das Fleisch tätschelte. Das Tätscheln, das nasser klang, als er das Stück mit Öl einrieb, war die einzige Tätigkeit, für die er keinen Ausdruck und keine Begründung wußte. Er erwähnte es nicht. Am Schluß erzählte der Koch ihr von seinem neuen Haus, und Sie erinnerte sich, wie seine weißen Finger eine Knoblauchzehe ins rohe Fleisch hineinbohrten und er es dann in den Ofen schob. Hier war das Band zu Ende, und nun hatte Sie keine Ausrede mehr.

Auf den ersten Blick kam der Brief ihr vor wie eine seltsame verbotene Mischung aus Gedrucktem und handschriftlichen Anmerkungen. Sie las ihn kaum, überflog ihn nur. Wahrscheinlich ist er verschlüsselt, dachte Sie. Einer der Sätze war mit einer durchgehenden Linie unterstrichen: «Das geht nicht kann und darf kein Argument für uns sein, von dem wir uns beeindrucken lassen.» Unten ein handgeschriebenes PS.: «extra lieber Gruß von SM, wir werden es schaffen» Darunter hatte die Briefeschreiberin zwei kleine Figuren gezeichnet.

Eine Kleine, seine Neue, ihre Nachfolgerin: S. M., wie schön sie schreibt, dachte Sie und zitterte nicht einmal. Sie rief den Koch an, aber der war nicht zu Hause. Vor dem Fernseher aß Sie einen rosaroten Fruchtjoghurt. Sie konnte nicht bei einer Sendung bleiben, drückte immer wieder die Pfeiltaste auf diesem Wunderkästchen, weg von der Werbung, weg von den Nachrichten, weg von der Talkshow, hin zum Liebesfilm und dann wieder weg.

Caracas, dachte Sie, als Sie im Zug saß. Ich fliege nach Caracas und überlege mir dort in Ruhe den nächsten Schritt.

Er ließ Sie gar nicht zu Wort kommen am Abend. Er hatte gekocht und wollte vor dem Fernseher essen, um die Nachrichten zu sehen. Er balancierte den Teller auf den Knien. Die Nachrichtensprecherin sagte, Wie erst jetzt bekannt wurde, kam es vor anderthalb Wochen zu einem Störfall im Chemiewerk. Zu Schaden gekommen sei niemand.

Ich habe es gewußt, sagte Er, und geriet völlig außer sich. Er legte, nein, Er schmiß ihr einen Fisch auf den Teller, rannte in sein Arbeitszimmer und fing an zu telefonieren. Sie begann mit dem Aufschneiden der Fischhaut am Rücken. Lange hatte Er nicht mehr so gejubelt. Schwer vorstellbar, daß einem so Fröhlichen etwas hätte zustoßen können. Als Er wieder ins Zimmer kam, gratulierte Sie ihm. Später erwähnte Sie den Brief, da wurde Er wütend und rannte aus der Wohnung.

Eigentlich wollte ich das alles Georg gleich mitteilen. Aber es gibt Dinge, über die kann man nicht sprechen. Also schrieb ich die Geschichte und zeigte sie Georg. Doch Er hat sie nur überflogen und kam gleich wieder auf seinen Störfall zurück. Aber bestimmt ist es gut, wenn Er dazu beiträgt, die Welt zu retten. Den Rest übernehme ich dann.

INHALT

7 Die kleinere Hälfte der Welt

21 Die Lust der Gans beim Gestopftwerden

41 Goldene Nägel

53 Wenn Sie mich anschauen, wissen Sie es

63 Eine Geschichte will ich mir nicht anhören

81 Ein Auto, ein Lastwagen, eine Schildkröte

97 Graue Briefe

Starke Frauen

Liza Dalby
Geisha
(rororo 22732)
Der Erlebnisbericht einer Amerikanerin, die sich in Japan zur Geisha ausbilden ließ, beschert uns einen Einblick in eine faszinierende fremde Welt.

Janice Deaner
Als der Blues begann Roman
(rororo 13707)
«Janice Deaner ist mit ihrem ersten Roman etwas ganz besonderes gelungen: eine spannende, zärtliche Geschichte aus der Sicht eines zehnjährigen Mädchens zu erzählen.»
Münchner Merkur

Joolz Denby
Im Herzen der Dunkelheit
Roman
(rororo 22870)
Ein faszinierender Psychothriller der vom furiosen Anfang bis zum erschütternden Ende niemanden loslässt.

Jane Hamilton
Die kurze Geschichte eines Prinzen *Roman*
(rororo 22903)

Susan Minot
Ein neues Leben *Roman*
(rororo 22905)

Ruth Picardie
Es wird mir fehlen, das Leben
(rororo 22777)
«Ein aufrichtiges, oft komisches und ungeheuer anrührendes Abschiedsbuch, geschrieben mit herzbewegender Leidenschaft und wacher Selbstwahrnehmung, ohne einen falschen Ton."
Der Spiegel

rororo

Asta Scheib
Eine Zierde in ihrem Hause *Die Geschichte der Ottilie von Faber-Castell*
(rororo 22744)
Asta Scheibs Romanbiographie erzählt die Geschichte einer ungewöhnlichen Frau, die gegen alle gesellschaftlichen Zwänge schließlich die Freiheit gewinnt, ihr eigenes Leben zu leben.

Grit Poppe
Andere Umstände *Roman*
(rororo 22554)
«*Andere Umstände* ist ein erstaunliches Debüt und taugt zum Bestseller.» *Stern*

Melanie Rae Thon
Das zweite Gesicht des Mondes
Roman
(rororo 22772)

Weitere Informationen in der **Rowohlt Revue**, kostenlos im Buchhandel, oder im **Internet: www.rowohlt.de**